СОВРЕМЕННАЯ

ИЛ

КЛАССИКА

Фредерик Бегбедер

КАНИКУЛЫ В КОМЕ

Издательство «Иностранка»

Москва

FE

УДК 821.133.1
ББК 84(4Фра)-44
    Б 37

VACANCES DANS LE COMA
Frédéric Beigbeder
Copyright © Editions Grasset & Fasquelle, 1994

Перевод с французского Ильи Кормильцева

Оформление Ильи Кучмы

Издание подготовлено при участии издательства «Азбука».

Бегбедер Ф.

Б 37   Каникулы в коме : роман / Фредерик Бегбедер ; пер.
с фр. И. Кормильцева. — М. : Иностранка, Азбука-Аттикус, 2013. — 192 с. — (Иностранная литература. Современная классика).
    ISBN 978-5-389-06158-3
    «Каникулы в коме» — дерзкая и смешная карикатура на со-
временную французскую богему, считающую себя центром Вселенной. На открытие новой дискотеки «Нужники» приглашены
лучшие из лучших, сливки общества — артисты, художники, музыканты, топ-модели, дорогие шлюхи, сумасшедшие и дети. Среди
приглашенных и Марк Марронье, который в этом безумном мире
ищет любовь... и находит — правда, совсем не там, где ожидал.

УДК 821.133.1
ББК 84(4Фра)-44

ISBN 978-5-389-06158-3

Диане Б.
Одной тебе,
От влюбленного по уши Ф. Бегбеде...

Бегбедер Ф.

Let's dance
The last dance
Tonight
Yes it's my last chance
For romance
Tonight.
Donna Summer. «Last Dance»
Casablanca Records[1]

Вторые романы пишут
авторы второй свежести.

Я

---

[1] Давай станцуем / Последний танец / Сегодня ночью / Это мой последний шанс / На роман / Сегодня ночью. *Донна Саммер. «Последний танец». Касабланка рекордз (англ.).*

19.00

Он причесывается, надевает или снимает куртку или шарф с таким видом, словно бросает цветок в еще не засыпанную могилу.

Жан-Жак Шуль[1]. Розовая пыльца

---

[1] *Жан-Жак Шуль* (р. 1941) — французский писатель, лауреат Гонкуровской премии. *(Здесь и далее примеч. перев.)*

Марку Марронье двадцать семь лет, у него славная квартирка и непыльная работа, поэтому накладывать на себя руки он отнюдь не собирается. Кто бы сомневался.

В дверь звонят. Марк Марронье много чего любит в жизни: фотографии из «Харперз Базар», ирландское виски безо льда, авеню Веласкеса, одну песенку («God only knows». «The Beach Boys»), шоколадные эклеры, одну книгу («Две вдовы» Доменика Ногеза[1]) и отложенную эякуляцию. А вот неожиданных звонков в дверь он не любит.

— Мсье Марронье? — спрашивает посыльный в мотоциклетном шлеме.

— Он самый.

— Это вам.

Посыльный в шлеме (их еще зовут «Спиру[2] в золотом тазике») протягивает ему конверт почти в квадратный метр площадью, а сам весь дрожит от нетерпения — как будто ему приспичило сходить по малой нужде. Марк берет конверт и вручает парнишке десять франков, чтобы

---

[1] *Доменик Ногез* (р. 1942) — французский писатель.

[2] Персонаж известного комикса.

тот навсегда исчез из его жизни. Ибо Марку Марронье и без посыльного в мотоциклетном шлеме неплохо живется. Он не особенно удивляется, обнаружив в конверте следующее:

НОЧЬ В «НУЖНИКАХ»

* * * * * * * * *

Торжественное открытие
Площадь Мадлен
Париж

Зато слова на листке, прикрепленном к пригласительному билету, — полная неожиданность:

«Вечером увидимся, старый пидор!
Жосс Дюмулен, диск-жокей»

ЖОСС ДЮМУЛЕН? А Марк-то считал, что он навсегда свалил в Японию. Или помер.

Но мертвые не устраивают дискотек.

И вот Марк Марронье ворошит пятерней свою шевелюру (признак хорошего настроения). Следует сказать: эту самую «ночь в „Нужниках“» он предвкушает давно. Вот уже целый год он проезжает мимо места, где сооружается «самый большой ночной клуб Парижа». И каждый раз у него мелькает мысль, что на открытии будет полным-полно клевых телок.

Марк Марронье любит нравиться клевым телкам. Может быть, и очки-то он носит именно по этой причине.

Коллеги по работе утверждают, что в них он похож на Уильяма Херта, когда тот не в форме. (NB. Поскольку заработал близорукость — в лицее им. Людовика Великого и сколиоз — на факультете политических наук.)

Официальное заявление: сегодня вечером, что бы там ни случилось, Марк Марронье намеревается вступить в половую связь. Возможно, с незнакомым человеком. Возможно, их даже будет несколько — кто знает? Он берет с собой шесть резинок, поскольку Марк Марронье — парень амбициозный.

Марк Марронье сознает, что скоро отдаст концы: лет этак через сорок. За это время он еще успеет нам надоесть.

Светский предатель, кухонный бунтовщик, наймит глянцевых журналов, застенчивый буржуа — полжизни он прослушивает свой автоответчик, другую половину — оставляет сообщения на чужих, одновременно безостановочно переключая тридцать каналов кабельного телевидения. Иногда он по нескольку дней подряд забывает поесть.

В день своего появления на свет он уже, что называется, вышел в тираж. Есть страны, где люди доживают до глубокой старости: в Нейи-сюр-Сен[1] стариками рождаются. Еще не начав жить, Марк пресытился жизнью и теперь смакует свои поражения. Например, гордится тем, что

---

[1] Фешенебельный пригород Парижа.

написал несколько книжонок в сотню страниц толщиной, которые разошлись тиражом в три тысячи экземпляров. «Поскольку литература мертва, я довольствуюсь тем, что пишу для своих друзей», — изрекает он на званых ужинах, допивая вино из стаканов соседей. Пусть Нейи-сюр-Сен продолжает им гордиться.

Хроникер-ноктюрнист, редактор-концептуалист, журналист-литератор — у всех профессий Марка составные названия. Он не желает ничему отдаться целиком — ведь тогда пришлось бы выбирать. Но в наши дни, по утверждению Марка, «весь мир съехал с катушек и единственный имеющийся выбор — кем стать: шизофреником или параноиком». Как и все хамелеоны (Фреголи[1], Зелиг[2], Тьерри Ле Люрон[3]), Марк по-настоящему ненавидит только одиночество. Вот почему в этом мире существует множество Марков Марронье.

Дельфин Сейриг[4] умерла в полдень, а сейчас семь часов вечера. Марк снимает очки, чтобы почистить зубы. Вам же только что объяснили, что он от природы неуравновешенный.

---

[1] *Фреголи Леопольдо* (1867–1936) — знаменитый итальянский актер-трансформист.

[2] *Зелиг Леонард* — американский авантюрист 1920-х годов, выдававший себя за разных знаменитостей.

[3] *Тьерри Ле Люрон* — французский комик-имперсонатор и шансонье.

[4] *Дельфин Сейриг* (1932–1990) — французская актриса и кинорежиссер. Сейриг скончалась 15 октября, что позволяет точно датировать дальнейшие приключения Марка Марронье.

Счастлив ли Марк Марронье? Да уж пожаловаться не на что. Каждый месяц он тратит кучу денег, да и детьми не обременен. Вот это и называется счастьем — жить в свое удовольствие. Одна незадача: нет-нет да и засосет от страха под ложечкой, а почему — Марк и сам не знает. Беспричинная Тоска. Именно она заставляет его плакать на плохих фильмах. Очевидно, чего-то ему не хватает, но чего? Слава богу, состояние это, как правило, быстро проходит.

Итак, его ждет встреча с Жоссом Дюмуленом. Интересно, как все пройдет, ведь столько воды утекло... В последнем номере «Вэнити фэйр» Жосса назвали «the million dollars deejay»[1]. Жосс — старый друг Марка, но он, по правде говоря, не знает, как относиться к славе приятеля. Марк чувствует себя спринтером, у которого нога застряла в стартовой колодке и он с бессильной злобой наблюдает за соперником, поднимающимся на пьедестал почета под рев толпы.

Коротко говоря, Жосс Дюмулен — повелитель мира: он занимается главным в этом мире делом в самом могущественном городе вселенной. Жосс Дюмулен — лучший диджей Токио.

Стоит ли повторяться и напоминать вам, каким образом диск-жокеи захватили власть? В гедонистическом обществе, да еще таком легковесном, как наше, граждане

---

[1] Диджей на миллион долларов *(англ.)*.

интересуются одним — развлечениями! (Секс и деньги не являются исключением: деньги позволяют посещать вечеринки, а вечеринки позволяют находить сексуальных партнеров.) А диск-жокеи правят на вечеринках. Им теперь мало ночных клубов — они придумали рейв и заставляют людей танцевать в ангарах, на автостоянках, в цехах заводов и на пустырях. Именно они убили рок-н-ролл и придумали рэп и хауз. Днем они царят в хит-парадах, ночью — в клубах. От них никуда не денешься.

Диджеи превращают наше существование в череду ремиксов. Никто на них за это не в обиде: мы ведь все равно всегда делегируем кому-то власть, так почему бы не диджеям? У них-то хватки ничуть не меньше, чем у бывшего киноактера или адвоката. В конце концов, для того чтобы править, достаточно уметь слушать, производить впечатление культурного человеке и уметь заводить публику.

Забавное это ремесло — диджей: нечто среднее между прелатом и проституткой. Приходится отдавать все тем, кто не даст вам ничего взамен. Ставить пластинки, чтобы другие могли танцевать, веселиться, снимать хорошеньких девочек в платьях в обтяжку. А потом возвращаться к себе домой — в одиночестве, со стопкой дисков под мышкой. Диджей всю жизнь стоит перед дилеммой: он использует чужую музыку, чтобы заставить плясать под нее чужих людей. Он — нечто среднее между Робин Гудом (который грабит, чтобы раздавать) и Сирано де Бержераком (который живет «по доверенности»). Коротко говоря, первейшая профессия нашей эпохи — сводить людей с ума.

Жосс Дюмулен не стал, подобно Марку, губить свою молодость в стенах Института общественных наук. Как только ему исполнилось двадцать, он усвистал в Японию, имея в багаже всего три слагаемых успеха на «Н»: Напор, Наглость и Независимость. Почему именно в Японию? Да потому, что «тусоваться лучше всего в самой богатой стране мира: где бабки — там и веселье!».

Очень скоро безделье стало профессией Жосса: не прошло и года, как он превратился в талисман японских ночей. Его вечеринки в «Джулиане» имели бешеный успех. Малыш попал в яблочко: жители Токио как раз начали открывать для себя радости капиталистического разложения. Правительство становилось все более коррумпированным, иностранцы — все более многочисленными. Золотая токийская молодежь не успевала прожигать родительские денежки. Да уж: Марк Марронье выбрал не ту дорогу в жизни...

Как-то раз он навестил приятеля в Токио и может засвидетельствовать: стоило Жоссу Дюмулену войти в «Голд», и все парни, как один, принимались шумно втягивать воздух ноздрями и жевать промокашку. Что до японских барышень, то они, завидев Жосса, прикидывались гейшами. У Марка осталась куча поляроидных снимков, подтверждающих правдивость его слов.

Жосс Дюмулен проживал жизнь за Марка. Он снимал всех девушек, к которым Марк не решался подойти. Принимал все наркотики, которые тот боялся попробовать.

Жосс и Марк совсем не похожи: наверное, поэтому они когда-то были так дружны.

Марк пьет только газированные напитки: кока-колу утром, «Гуронсан» — в полдень и водку с содовой — вечером. Он целый день пожирает пузырьки. Ставя на тумбочку стакан «алка-зельцера» (один раз не считается), он вспоминает Токийскую бухту и океан — ах какой Тихий!

Марк думает о той ночи в «Лав энд секс» (последний этаж «Голд»), когда он и еще с десяток приятелей Жосса «употребляли» малышку-китаяночку... прикованную к кровати наручниками. Потом он познакомился с женой Жосса. Впрочем, так проходили почти все вечера в Токио.

Марку не повезло: его родители живы и здоровы. День за днем они проедают его наследство. А Жосса цифровой сэмплер — устройство, изобретенное в середине восьмидесятых, — сделал богатым и знаменитым. Сэмплер позволяет вычленять лучшие куски любого музыкального произведения и «закольцовывать», создавая, таким образом, новое произведение в танцевальном стиле.

Благодаря этому гениальному изобретению диджеи, бывшие прежде музыкальными роботами, стали полноценными музыкантами. (Вообразите, что было бы, если бы библиотекари стали сами писать книги, а хранители музеев — рисовать.) Жосс очень быстро просек свою выгоду: его продукция захватила ночные клубы Японии, sic! — всего мира. Днем Жосс в своей дискотеке «стриг» самые клевые записи, а ночью обрушивал их на головы гостей, отслеживал их реакцию, чтобы отбросить худшее и сохранить самое заводное. Жосс искал свой путь посредством проб и ошибок: ибо нет в мире лучшей фокусной группы, чем посетители танцпола. Вот так он и стал мировой звездой, пока наш герой корпел над бесполезными учебниками.

Коммерческий успех не заставил себя ждать. Именно Жосс первым смешал крики птиц с месопотамскими хорами: диск вышел на первое место в тридцати странах, включая Шри-Ланку и СНГ. Следом за этим Жосс совместил ритм «босса-сукусс» с темой из «Гольдберг-вариаций»: мегахит сразу же попал в жесткую ротацию «MTV-Europe». Марк и сегодня смеется, вспоминая то лето, когда на экраны телевизоров вышел клип Дюмолино в стиле босса-сукусс (спонсором была «Оранжина») и стало модно танцевать, держа партнершу за сиськи.

Все шло, как по-накатанному: состояние Жосса росло как на дрожжах. Жорж Гетари[1] исполняет традиционные израильские напевы в костюмах от Жана-Поля Готье? Так это придумал Жосс: двадцать три недели на первом месте французского хит-парада. Концепция техно-госпела? Жосс. Инструментальная пьеса, в которой саксофон Арчи Шеппа[2] звучал на фоне ударных в исполнении Кейта Муна[3] (да вы его знаете — тот самый инструментал, ко-

[1] *Жорж Гетари* (Ламброс Ворлу; 1915–1997) — французский шансонье египетского происхождения.

[2] *Арчи Шепп* — известный американский джазовый саксофонист.

[3] *Кейт Мун* (1947–1978) — ударник английской рок-группы «The Who».

торый навсегда сделал эйсид-джаз старомодным)? Снова Жосс. Дуэт Сильви Вартан[1] и Джонни Роттена?[2] Опять Жосс. Сегодня — Марк прочел об этом в «Вэнити Фэйр» (статья была проиллюстрирована фотопортретом Жосса работы Энни Лейбовитц: маэстро утопал в груде магнитной пленки!) — его старый друг готовит новый суперремикс: звуковая дорожка крушения аэробуса А320 будет наложена на голос Петулы Кларк[3], поющей «Don't sleep in the subway, darling»[4]. А еще придумал запись в стиле гранж: речь маршала Петена, наложенная на уникальный концерт Лучано Паваротти на стадионе «Уэмбли», где ему аккомпанирует группа «Эй-Си-Ди-Си». Ни больше ни меньше. У Жосса — воображение клептомана, его диски продаются с пылу с жару, он беспределен во всем: Жосс Дюмулен ухватил суть нашего времени и производит только коллажи.

И вот Жосс организует презентацию «Нужников»: открытия этого клуба ждет весь Париж. Дело это обычное — Жосс разъезжает по всему миру, организуя «парти» в лучших заведениях: в «Клубе» в Нью-Йорке, в мадридском «Паше», в лондонском «Министри оф Саунд», а еще в «90°» в Берлине, в «Бэби О» в Акапулько, в «Бэш» в Май-

---

[1] *Сильви Вартан* (р. 1944) — известная французская эстрадная певица.

[2] *Джонни Роттен* (Джон Лайдон; р. 1956) — вокалист английской панк-группы «Sex Pistols».

[3] *Петула Кларк* (р. 1932) — английская поп-певица.

[4] Не спи в метро, дорогой *(англ.)*.

ами, в «Рокси» в Амстердаме, в «Мау-Мау» в Буэнос-Айресе, в «Элайен» в Риме и, уж конечно, в «Спейс» в Ибице. Разные стены, но ногами там дрыгают одни и те же люди, несмотря на время года.

Марк раздражен, но потом решает, что во всем есть своя хорошая сторона. В конце концов, Жосс может его познакомить со всеми самыми красивыми девушками, которые придут в клуб, ну, во всяком случае, с теми, которых сам не захочет.

У Марка разветвленная сеть осведомителей: некоторые его подружки весьма «близки» с прессой, другие — со звездами. Они звонят и подтверждают: да, «Нужники» оборудованы в бывшем общественном туалете. На площади Мадлен в рекламных целях установлен гигантский унитаз. Вход оформлен в виде рулона розовой туалетной бумаги двухметровой высоты. Но самое сногсшибательное — во всех смыслах — новшество этого модного местечка обещает полностью революционизировать ночной досуг парижан: круговая танцевальная дорожка выполнена в форме сортирного «очка» и как бы слегка «притоплена». В час «Х», который держат в строжайшей тайне, всех танцующих зальют потоки воды из гигантского сливного бачка. Гостей на вечеринку позвали в последний момент, чтобы сохранить эффект неожиданности. Марк полагает, что большинство приглашенных из кожи вон вылезут, отбрехаются от многочисленных светских обязанностей, но заглянут на открытие.

————

Да уж, сегодня вечером выбрать, куда пойти, не так-то просто! Журнальный столик Марка завален приглашениями: вернисаж с перформансом на улице Искусств (в 21.00 художник намеревается отрезать себе обе руки), обед в ресторане у Триумфальной арки в честь сводного брата приятеля басиста из группы Ленни Кравитца[1], костюмированный бал в старых цехах завода «Рено», в Исси-ле-Мулино, в честь премьеры новых духов («А ля Шен» от Шанель), закрытый концерт восходящих английских звезд, группы «The John Lennons» в «Цикаде», тематическая секс-вечеринка в клубе «У Дениз» («Гетеросексуальные лесбиянки-трансвеститки в кожаных прикидах») и рэйв-парти на Елисейских Полях. И все-таки Марк уверен: сегодня весь Париж будет задавать только один вопрос: «В „Нужники" идешь?» (Непосвященный рискует ответить невпопад, выдав свою «исключенность» из фронтального опроса.)

Запершись в ванной, Марк вертится перед зеркалом. Сегодня вечером он будет обнимать девушек, не представляясь им. Займется любовью с незнакомыми людьми, не отужинав с ними предварительно наедине раз эдак пятнадцать.

Марк ни на кого не собирается производить впечатление — он и себя-то не может удивить. В глубине души Марк, как и все его друзья, мечтает об одном — снова влюбиться.

---

[1] *Ленни Кравитц* (р. 1964) — американский певец и композитор.

Он хватает с вешалки белую рубашку и галстук цвета морской волны в белый горошек, бреется, поливает лицо одеколоном, вопя от боли, и выходит на улицу. Марк не желает поддаваться панике.

Он думает: «Нужно все мифологизировать, потому что все и так призрачно. Предметы, места, даты, люди превращаются в миф, стоит объявить их легендой. Каждый, кто жил в Париже в 1940-м, неизбежно становился персонажем Модиано[1]. Любая девка, шатавшаяся по лондонским барам в 1965-м, ложилась в постель с Миком Джаггером. По большому счету, чтобы стать легендой, достаточно набраться терпения и дождаться своей очереди. Карнаби-стрит, Хэмптон, Гринвич-Виллидж, озеро Эгбелетт, Сен-Жерменское предместье, Гоа, Гстари, Параду, Мюстик, Пхукет[2]... Зайдите на секунду в сортир в любом из этих мест — и через двадцать лет будете иметь полное право хвастаться: „я там был“. Время — таинство. Вы запарились жить? Потерпите — скоро вы станете легендой!» Ходьба пешком всегда наводит Марка на такие вот странные мысли.

Но труднее всего быть *живой легендой*. Жоссу Дюмулену это, похоже, удалось.

А кстати, «живая легенда» сует руки в карманы? Носит кашемировый шарф? Снизойдет до «ночи в „Нужниках“»?

---

[1] *Модиано Патрик* (р. 1945) — французский писатель.

[2] Перечисляются излюбленные места времяпрепровождения международной богемы, начиная с 1920-х и кончая 1990-ми годами.

Марк проверяет, не оказался ли он в зоне приема «Би-Бопа». Ни одного трехцветного значка в поле зрения. Ну и не о чем беспокоиться. Теперь понятно, почему телефон не звонит: в зоне шестисот метров Марку ничего не грозит.

Раньше Марк ни одного вечера не сидел дома, причем мотался он не только по делам. Изредка его видели с Жосленом дю Муленом (ну да, когда-то его звали именно так: аристократическая приставка исчезла совсем недавно — когда он записался в псевдодемократы).

Погода чудная, и Марк мурлычет себе под нос «Singing in the rain»[1]. Это лучше, чем напевать «Солнечный понедельник» под дождем. (К тому же сегодня пятница.)

Париж похож на съемочную площадку — но всего лишь похож. Марк Марронье предпочел бы, чтоб он был из папье-маше. Ему больше нравится тот Новый мост, что Лео Каракс[2] выстроил для своего фильма в чистом поле, — не чета настоящему, который Христо[3] укутал брезентом. Марк был бы не против, чтобы весь этот город добровольно стал иллюзией, отказавшись от реальности. Париж слишком красив, чтоб быть настоящим! Марк мечтает, чтобы тени, движущиеся за окнами, отбрасывали картонные манеке-

---

[1] Я пою под дождем (англ.).
[2] *Лео Каракс* — французский кинорежиссер.
[3] *Христо* (Христо Жавачев; р. 1935) — болгарский художник-концептуалист.

ны, управляемые с помощью электрического реле. Увы, в Сене течет настоящая вода, здания сложены из прочного камня, а прохожие на улицах ничем не напоминают статистов на ставке. Иллюзия существует, но спрятана она гораздо глубже.

В последнее время круг общения Марка стал у́же. Он проявляет разборчивость. Вообще-то это старость заявляет свои права. Марк злится, хоть все ему и обещают, что «и это пройдет»...

Сегодня вечером он будет клеить девушек. Кстати, а почему он не голубой? Довольно странно, учитывая его декадентское окружение, так называемые творческие склонности и страсть к провокационным выходкам. Скорее всего, тут-то и зарыта собака: быть геем в наши дни — это уже конформизм. Слишком простое решение. И еще — Марк ненавидит волосатых мужиков.

Признаем очевидность: Марронье — из тех типов, что носят галстуки в горошек и пристают к девушкам.

Жил да был мир, и жил да был Марк. Вот он идет по бульвару Малерб. Безнадежно банальный, следовательно — единственный в своем роде. Он направляется на вечеринку года. Вы узнаете его? Ему больше нечем заняться. Его оптимизм возмутителен. (Даже легавые никогда не проверяют у него документов.) Он идет на праздник, не чувствуя ни малейших угрызений совести. «Праздник — это то, чего всегда ждешь». (Ролан Барт. «Фрагменты одного объяснения в любви».)

«Заткнись, дохлый миф! — брюзжит про себя Марронье. — Когда ждешь — кончаешь под грузовиком, развозящим белье из прачечной».

Пройдя по инерции еще несколько шагов, Марк спохватывается: «Да ладно, чего там, Барт прав, я только и делаю, что жду, и мне стыдно. В шестнадцать лет я мечтал покорить мир, стать рок-звездой, или знаменитым киноактером, или великим писателем, или Президентом республики, или — в крайнем случае — умереть молодым. Мне двадцать семь, а я уже перегорел: рок — слишком сложно, в кино не протыришься, все великие писатели мертвы, республика погрязла в коррупции, а со смертью мне теперь хочется встретиться как можно позднее».

20.00

Мой праздный горожанин живет и радуется жизни лишь под покровом ночи, ибо ночь — это долгий одинокий праздник.

Хорхе Луис Борхес. Луна напротив

Жить надо рисково, но время от времени Марк любит хорошо поесть в «Лядюре».

Чтобы не прийти в «Нужники» ровно к указанному часу, он заказывает горячий шоколад и сочиняет двуязычное хайку:

> Господин со слоновьим хоботом
> Забавлялся орально с роботом
> And in his mouth he came[1],
> Распивая «Шато-икем».

Пожилая официантка приносит чашку, и Марк впадает в жестокую тоску: это какао доставили прямо из Африки, его нужно было собрать, привезти в Европу, переработать на заводах Ван Хутена, превратить в растворимый порошок, снова перевезти, вскипятить молоко, полученное от нормандской коровы, содержавшейся на ферме при другом заводе (интересно, «Кандия» или «Лактель»?), следить за кастрюлей, чтобы не убежало... короче говоря, тысячи людей работали, чтобы теперь эта чашка шоколаду остывала перед его носом на столике. Вся эта херова туча

---

[1] И кончил ему прямо в рот *(англ.)*.

людей ишачила ради обычной чашки шоколаду. Может, кто-то из рабочих погиб, расплющенный ужасным прессом для выдавливания масла из бобов какао, и все для того, чтобы Марк мог помешивать ложечкой в чашке. Ему кажется, что все эти люди смотрят на него и приговаривают: «Пей шоколад, Марк, пей, пока горячий, пусть даже цена этой чашки равна годовому заработку, — ты бессилен». Он встает из-за стола и, нахмурившись, спешит к выходу. Как вам уже было сказано, не все его действия разумны. Его может привести в ужас геометрический узор на обоях, или сочетание цифр на номерном знаке, или взгляд толстяка, жующего пиццу.

Церковь Св. Мадлен никуда не девалась со своей площади. Перед входом в «Нужники» уже толпились люди. Балет зевак, притворяющихся папарацци, и папарацци, притворяющихся зеваками. Из огромных колонок льется ремикс песни Шуберта «An die Nachtigall»[1], наложенной на «Nightingale»[2] Джули Круз[3]. Наверняка это всего лишь первый из сюрпризов Жосса Дюмулена.

Гигантский унитаз из белого мрамора окутан искусственным дымом и снабжен вертикальной подсветкой. Лучи прожекторов утыкаются в небо. Все вместе это напоминает то ли цилиндры телепортации из «Стар Трека»,

---

[1] «К соловью» *(нем.)*.

[2] «Соловей» *(англ.)*.

[3] *Джули Круз* — американская певица и актриса, более всего известная по саундтреку к телесериалу «Твин Пикс».

то ли воздушную тревогу в Лондоне во время обстрела «Фау-2». Любопытные толкутся возле входа, словно сперматозоиды вокруг яйцеклетки.

— Вы кто? — спрашивает питбуль в человеческом облике, сторожащий двери.

Кратко, с таким видом, словно полный ответ на этот вопрос занял бы не один час, Марк бросает:

— Марронье.

Охранник повторяет его фамилию в свою рацию.

Тихий ангел пролетел. Каждый раз одно и то же. Гостей проверяют по списку. Многие считают вышибал ночных клубов потомками Цербера, но на самом деле они происходят по прямой линии от фиванского Сфинкса. Загадываемые ими загадки касаются самых тайн существования. Марк задумывается, правильно ли он ответил на вопрос. Наконец сквозь шум и треск ухо питбуля улавливает положительный ответ. Марк существует! Он есть в списке, следовательно — существует! Привратник с почтением поднимает веревочку и впускает Марка в клуб. Толпа расступается, словно волны морские перед Моисеем, с той только разницей, что Марк, в отличие от Моисея, свежевыбрит.

Мозаичная надпись на стене гласит: «Построено заводами Порше, Париж—Ревен, 1905». Прямо под ней маленькая голубая голограмма, изображающая улыбающуюся голую девушку с татуировкой на животе: «Клуб „Нужники“, Париж—Токио, 1993».

———

Жосс Дюмулен встречает приглашенных у входа, сразу за рамкой металлоискателя, с командой телевизионщиков, которые устанавливают свои осветительные приборы. Волосы прилизаны, смокинг застегнут на все пуговицы, телохранители на стреме, мобильник в руке.

— Эге-ге! Сам великий Марронье пожаловал к нам! Сколько лет, сколько зим!

Они бросаются друг к другу в объятия, как принято в мире шоу-бизнеса: это позволяет скрыть подлинные эмоции.

— Рад тебя видеть, Жослен.

— Мерзавец! Не смей меня так называть, — хохочет Жосс. — Я теперь — юнец до мозга костей.

— Так-так, значит, это твоя халабуда? — спрашивает Марк.

— «Нужники»? Нет, клуб принадлежит моим японским друзьям. Знаешь, тем, у кого на руке мизинца не хватает... ладно, я крайне рад, что ты меня навестил, дружище.

— Раз уж один из наших преуспел в этой жизни... Никогда бы такого не пропустил. Кроме того, я всегда хотел узнать, как стать Жоссом Дюмуленом.

— Сам понимаешь — фабрика звезд! Впрочем, открою тебе мой секрет: талант, прежде всего талант. Словил? Разве не смешно? С тех пор как я стал знаменит, мои хохмы всегда вызывают бурю смеха. А ты что, не такой, как все?

— Ха-ха-ха! — изображает смех Марк. — Как тонко! Ладно, все это здорово, но где же нимфоманки?

— Да остынь, шустрый ты наш электровеник! How arrre youu, baroness?[1]

Жосс Дюмулен похлопывает баронессу Труффальди-но по плечу, словно это надувная кукла, хотя она больше всего смахивает на комок подтаявшего масла в очках с тройными стеклами. Затем он вновь поворачивается к Марку:

— Пойди пока выпей, Марчелло ты мой дорогой, а я тебя догоню. Что до нимфоманок, тут их пруд пруди! Я пригласил шестьсот лучших. Вот, к примеру, Маргарита. Oh my God, Маргарита, you look SO nymphomaniac![2]

В Маргариту Жосс переименовал Марджори Лоуренс — знаменитую манекенщицу пятидесятых годов, которой стукнуло уже с полвека. Марк с видом просвещенного геронтофила почтительно целует ей ручку. Коверканье имен — одна из любимых забав Жосса. Симпатия, которую прославленный диджей испытывает к большинству людей, сродни симпатическим чернилам: она проявляется в нужный момент, чтобы очень быстро вновь исчезнуть.

Марк повинуется и направляется к бару. Надо привести себя в боевую готовность.

Обратите внимание на одну важную деталь: он больше не хмурится.

— Две «Лоботомии» со льдом, пожалуйста.

---

[1] Как пожжживаете, баронесса? *(англ.)*
[2] Боже, ты выглядишь как настоящая нимфоманка! *(англ.)*

У Марка привычка заказывать сразу по два напитка, особенно когда они бесплатные. Кроме того — очень удобно, если не хочешь пожимать руку всем и каждому.

Бережно сохранив стиль рококо, присущий туалетам, построенным в начале века, архитекторы сумели превратить их огромный зал в триумф высокотехнологичного безумия, достойный эпохи нового варварства, что наверняка сумеют оценить по достоинству японские заказчики. Два уровня клуба образуют окружность гигантского унитаза в тридцать метров диаметром. Первый этаж представляет собой его донышко, окруженное проходом с барными стойками и столиками. В центре расположен танцпол, где сейчас накрыты банкетные столы. Между первым и вторым уровнями находится гигантская прозрачная будка диджея, напоминающая огромный мыльный пузырь; с танцполом ее соединяют два белых желоба. Обстановка вызывает у Марка неприятное ощущение, словно он попал внутрь гигантской гравюры Пиранези[1].

В зале пока почти никого нет.

«Хороший знак, — думает Марк. — Вечеринка, которая начинается с давки у дверей, притом что внутри нет ни души, это — правильная вечеринка».

— Ну что, Марк, разогреваешься? — спрашивает Жосс, присоединяясь к приятелю, сидящему в верхнем баре.

---

[1] *Пиранези Джованни Батиста* (1720–1778) — итальянский гравер и художник.

— Я люблю приходить заранее, чтобы собраться с силами.

Чувствуя себя виноватым, Марк протягивает один из бокалов Жоссу.

— Спасибо, я не пью. У меня есть кое-что получше. Пойдем, покажу.

Марк следует за ним в служебное помещение, и тут Жосс демонстрирует ему спичечный коробок из отеля «Уолдорф-Астория».

— Слушай, Жосс, если ты меня собираешься этим потрясти, то спешу сообщить тебе, что у меня дома есть пепельница и купальный халат из «Пьера»...

— Погоди, приятель...

Жосс открывает маленькую картонную коробочку: она наполнена белыми капсулами.

— «Эйфория». Глотаешь одну такую капсулу и становишься тем, кто ты есть на самом деле. Каждая капсула равна по силе десяти таблеткам «экстази». Бери, не стесняйся, а то у вас в Париже, похоже, ничего достать невозможно!

Марк не успевает и слова вымолвить, как Жосс уже засовывает таблетку ему в карман. Потом, выкрикивая на ходу чье-то имя, снова бросается к входу. Этому чокнутому здесь все по душе. Марк в смятении: он побаивается подобных штучек. Обычно люди употребляют наркотики, чтобы избавиться от страха. Марк же Марронье по той же самой причине их не употребляет.

———

Все это ни на шаг не приблизило Марка к цели: он так и не выяснил, где затаились нимфоманки.

Марк машинально нащупывает капсулу в кармане куртки: возможно, она ему еще понадобится. Коктейль уже ударил в голову. Врач велел ему перестать пить натощак. Но Марк ловит такой кайф от первого бокала, стекающего в пустой желудок. Впрочем, он часто задается вопросом, что вреднее — алкоголь или аспирин. Яд или лекарство.

Звучит очередной ремикс: голос Саддама Хусейна плюс арабская музыка, исполненная на синтезаторе. На телеэкранах — хроника войны в Югославии. Жосс Дюмулен смешивает все со всем: таково его ремесло.

Марк решает, что хотел бы быть диджеем. Хороший это способ стать музыкантом, не утруждая себя изучением игры ни на одном инструменте. Творить, даже не имея таланта. Какая блестящая идея!

Клуб понемногу заполняется, бокалы — пустеют. Марк облокачивается о стойку бара и созерцает проплывающую мимо процессию приглашенных. Гардеробщики принимают из их рук шубы, выдавая взамен номерки. Входит знаменитый торговец оружием, под руку с двумя великолепными гуриями. Кто из них его жена, а кто — дочь? Трудно сказать. Пара мулаток все время попадается ему на глаза. Их откровенные наряды так же фальшивы, как и они сами. В зале представлены все районы: левый берег, правый берег, остров, север, юг и центр XVI округа, набережная Конти, Вогезская площадь, несколько авантюристов из «Ритца» или с авеню Жюно (75018), Кенсингтон, пьяцца Навона, Риверсайд-Драйв...

Вечеринка набирает силу. Каждый новоприбывший символизирует целую вселенную, каждый — словно бомба, которая должна взорваться в назначенный час, каждый — отдельный ингредиент в дьявольской смеси Жосса, который словно задался целью собрать весь мир в одном месте, сжать всю планету до размеров одной ночи. Марк наблюдает в прямом эфире рождение вечеринки. Нет никакой разницы между вечеринкой и жизнью: они рождаются, развиваются и угасают по одной и той же схеме. И когда им приходит конец, наступает время ликвидировать последствия, расставлять по местам перевернутые стулья и подметать пол (вот сукины дети, опять они все перевернули вверх дном!).

Возможно, это лирическое отступление спровоцировал второй коктейль...

Этого пижона Марка Марронье ничем не проймешь. Правда, у него довольно жалкий вид, когда он сидит в баре и пожирает жадным взглядом девушек, спускающихся по лестнице. Адепты пирсинга сводят с ума детектор металла. Ночь стремительно надвигается на Марка, а он остается недвижим. Он достает из кармана блок желтых листков «Post-It», чтобы записать эту последнюю фразу и забыть ее навсегда.

Он наблюдает за Жоссом Дюмуленом, который порхает мотыльком, и заказывает себе третий бесплатный коктейль. Он вопрошает себя, что сталось с героями его юности. Сказать по правде, Джима Моррисона он просто не знает: его героев зовут Ив Адриен, Патрик Юделин, Ален Пакади[1]. Каждое поколение имеет своих героев: некоторые из них гибнут, других постигает худшая участь — о них попросту забывают.

На этот раз Марк не обращает никакого внимания на то, что творится вокруг. Он лихорадочно пишет на желтом листке:

Я ЗАБЫЛ

Я забыл восьмидесятые годы: то десятилетие, когда мне исполнилось двадцать, и в этот момент я осознал, что смертен.

Я забыл название единственного романа Гийома Серпа (автор умер от передозировки вскоре после его публикации).

Я забыл манекенщиц Бет Тодд, Дойль Хаддон и Кристи Бринкли.

Я забыл журналы «Метал юрлан», «Сити», «Фасад», «Эль сон де сорти» и «Палас магазин».

Я забыл список бывших любовников Эрве Гибера[2].

---

[1] Звезды парижской рок-сцены 1970–1980-х годов.
[2] *Эрве Гибер* (1955–1991) — французский писатель, умерший от СПИДа.

Я забыл клубы «Семь» на улице Сент-Анн и «Писсин» на улице Тильзит.

Я забыл песни «Tainted love»[1] группы «Софт Селл» и «Стать седым» группы «Визаж».

Я забыл Ива Мурузи[2].

Я забыл полное собрание сочинений Ришара Боринже[3].

Я забыл движение «Allons-z-idees».

Я забыл характеристики базуки.

Я забыл фильмы Дивина.

Я забыл диски группы «Human League».

Я забыл двух непопулярных Аленов: Савари и Деваке. (Кстати, кто из них умер?)

Я забыл музыку в стиле ска.

Я забыл миллионы часов, проведенные на лекциях по административному праву, общественным финансам и политической экономии.

Я забыл, что нужно жить (название песни Джонни Холлидея).

Я забыл, как называлась Россия первые три четверти двадцатого века.

Я забыл Йоджи Ямамото.

---

[1] «Порочная любовь» *(англ.).*

[2] *Ив Мурузи* (1942–1998) — популярнейший французский тележурналист.

[3] *Ришар Боринже* (Рихард Борингер; р. 1941) — французский актер, писатель и певец.

Я забыл полное собрание сочинений Эрве Клода.

Я забыл «Твикенхем».

Я забыл кинотеатр «Клюни» на углу бульвара Сен-Жермен и улицы Сен-Жак и кинотеатр «Бонапарт» на площади Сен-Сюльпис и «Студио» на улице полковника Бертрана.

Я забыл «Элизе-Матиньон» и «Руайяль Лье».

Я забыл TV6.

Я забыл о себе.

Я забыл, от чего умер Боб Марли, а также какое снотворное принимала Далида.

Я забыл Кристиана Нуччи и Ива Шалье (ИВ ШАЛЬЕ — представляете себе, неужели его именно так и звали — Ив Шалье?).

Я забыл Дари Бубуль.

Я забыл, что такое «Ванная» — фильм или книга.

Я забыл, как собирают кубик Рубика.

Я забыл имя португальского фотографа, который вернулся за своими пленками на борт «Рэйнбоу уорриор» в самый неподходящий момент.

Я забыл, что такое «умственный СПИД».

Я забыл Жана Леканюе и группу «Зиг Зиг Спутник». И Бьорна Борга.

Я забыл «Опера Найт», «Эльдорадо» и «Роз Бонбон».

Я забыл имена всех заложников в Ливане, за исключением Жан-Поля Кауффмана.

Я забыл марку черной машины, из которой швырнули бомбу в «Тати» на улице Ренн. («Мерседес»? «БМВ»? «Порше»? «Сааб турбо»?)

Я забыл «Treets», «Трех мушкетеров» и «Daninos».

Я забыл фиолетовое «Фрюите» с яблоками и черной смородиной.

Я забыл группы «Особенный партнер» и «Петер и Слоан». И Аннабель Мулуджи. И «Boule de flipper» Коринн Шарби! (Э нет, ее-то я часто вспоминаю.)

Я забыл Международную дипломатическую академию, общество «Франция—Америка», «Американский легион», «Межэтнический кружок», «Клуб автомобилистов Франции», Pavillon d'Ermenonville, Pavillon des Oiseaux, Pre Catelan и бассейн в Tir aux Pigeons.

(Нет, это не совсем так, кто же может забыть БАССЕЙН В TIR AUX PIGEONS? Нагишом, в четыре часа ночи, где нас травили собаками.)

Внизу уже накрыт ужин. Марк наконец добирается до своего стола. Его имя написано на маленькой карточке между именами Ирэн де Казачок (длинный балахон с глубоким декольте) и Лулу Зибелин (брючный ориентальный костюм очень cool). Ни та ни другая еще не пришли. Какую из них первой оседлает Марк? А что, если они навалятся на него всем скопом? Правая рука за корсажем у одной, левая — на заднице у другой? От одной мысли об этом у Марка начинается шевеление в штанах.

Слава богу, мечтания Марка прерывает появление верного наперсника: его зовут Фаб. Одет Фаб в обтягивающий комбинезон из флюоресцентной лайкры. Череп выбрит таким образом, что остатки высветленных перекисью волос образуют на черепе слово «FLY»[1]. Фаба могли произвести на свет Жан-Клод Ван Дамм и черепашка-ниндзя. Он выражается исключительно на языке «гипно». Фаб — самый милый фигляр на свете, к несчастью для себя родившийся лет на сто раньше, чем следовало.

— Йоу, Chestnut-Tree![2] Здесь все просто суперкул!

— Привет, Фаб! Кстати, мы — за одним столом, — отвечает ему Марк.

— Улёт! Разбавим массив в пыль!

Да уж, с таким соседом скучать Марку вряд ли придется.

---

[1] МУХА *(англ.)*.

[2] Каштановое дерево — перевод на английский фамилии Марронье. Английский — сверхгипнотичен. — *Прим. авт.*

21.00

Я пишу, наступает вечер, люди отправляются ужинать.

Генри Миллер. Спокойные дни в Клиши

Группы формируются, формы группируются. В конце концов все рассядутся. Те, кого почитают ночной элитой западного мира, проявляют здесь чудеса терпения. Добрая сотня CSP ++++, которых правильнее всего было бы окрестить Незаменимыми Ненужностями.

Деньги сочатся изо всех щелей. В этой компании любой, у кого при себе наличными меньше двадцати штук, выглядит подозрительно, хотя никто здесь деньгами не хвастает. Все сатрапы нынче хотят казаться художниками. Здесь ты обязан быть модным фотографом, или главным редактором (или хотя бы его замом), или телевизионным продюсером, или писателем, который «как раз заканчивает роман», или серийным убийцей. В этом кругу, если не хочешь навлечь на себя подозрения, притворись «креативным». Марк Марронье тщательно изучает список гостей, чтобы уточнить, кто его окружает. Какое облегчение: это те люди, с которыми он провел вчерашний вечер и с которыми проведет завтрашний!

Те, кто находится вверху списка, — счастливчики, у них свой столик, а те, кто рангом пониже, — рабы, ведь им не достались места наверху.

НОЧЬ В «НУЖНИКАХ»
Торжественный ужин — список VIP

Густав фон Ашенбах
Сюзанн Бартш
Патрик Бейтмен
Братья Баэр
Анри Балладюр
Жильберт Береговуа
Хельмут Бергер
Лова Бернардин
Ли Боуэри
Маноло де Брантос
Карла Бруни-Тедески
Ари и Эмма Визман
Хосе-Луис де Виллалонга
Оскар де Вюртемберг
Паоло Гарденаль
Фаустина Гибискус
Агата Годар
Жан-Мишель Гравье
Жан-Батист Гренуй
Франческа Деллера

Жак Деррида
Джейд Джаггер
Антуан Дуанель
Борис Ельцин
Жосс + друзья
Соланж Жюстерини
Гюнтер Закс
Ален Занини
Зарак
Лулу Зибелин
Ирэн де Казачок
Фок Кан
Кастели-младшие
Матье Кокто
Даниэль Кон-Бендит
Альбаны де Клермон-Тоннер
Клио
Ондин Кензак
Кристиан и Франсуаза Лакруа
Марк Ламброн
Арьель Леви + 2
Серж Ленц + тигрица
Роксана Ловит
Марджори Лоуренс
барон фон Майнерхоф
Эльза Максвелл
Бенжамен Малоссен

Марк Марронье
Омеро Машри
Виржини Муза
Тьерри Мюглер
Роже Нельсон
Констанс Нейхофф
Масоко Ойя
Пакита Пакин
Роже Пейрефитт
Гийом Раппно
Роганы-Шабо + их родители
Пьер Селейрон
Уильям К. Тарсис III
барон и баронесса Труффальдино
Лиз Тубон
принцесса Глория фон Турн-унд-Таксис
Инес и Луиджи д'Урсо
Денис Вестхофф
Фаб
сестры Фавье
Его Превосходительство Генеральный консул
Джеффри Фирмин
Хардиссоны
Али де Хиршенберг
Одри Хорн
Шамако
Эрик Шмитт

Луиза Чикконе
Генри Чинаски[1]

(Марк с облегчением констатирует, что не приглашен ни один член правительства.)

Он читает список гостей вслух, дабы насладиться музыкой имен собственных.

— Вы только послушайте! — говорит он в сторону. — Это же музыка одиноких существований!

— Скажите, Марк, — перебивает его Лулу Зибелин, — вы знали, что Анджело Ринальди упоминал общественные туалеты?

— Да неужели?

— Ну конечно! В «Исповеди на холмах», если мне не изменяет память...

— Ага... Значит, в «Нужниках» будет исповедальня? Вот так новость! Это надо спрыснуть! (Марк часто говорит в такой манере, когда не знает, что сказать.)

Лулу Зибелин: сорок лет, журналистка в итальянском издании «Вог», специализируется на курортной талассотерапии и тантрических оргазмах (две области не столь

---

[1] Подробный комментарий «Списка приглашенных» занял бы слишком много места: отметим только, что в нем есть реальные лица под своими именами — политики (Ельцин, Береговуа, Балладюр), фотографы (Бартш), персонажи литературных произведений (Жан-Батист Гренуй, Патрик Бейтмен, Генри Чинаски) и кинофильмов, фэшн-дизайнеры (Боуэри), музыканты (Луиза Чикконе — настоящее имя Мадонны), философы (Кон-Бендит, Деррида).

далекие друг от друга, как это кажется на первый взгляд). На длинном носу — огромные очки в красной оправе. На лице безразлично-презрительное выражение — как у всех женщин, которых в настоящем кадрят гораздо реже, чем в прошлом.

— Мадам, — продолжает Марк, — не хочу вас пугать, но вы сидите рядом с законченным сексуальным маньяком.

— Не огорчайтесь, — отвечает Лулу. — Это проходит. Впрочем, вы меня слегка беспокоите: все мужчины — сексуальные маньяки, но опасны лишь те, что прямо об этом заявляют.

— Минуточку! Давайте не уточнять: я никогда не объявлял себя половым гигантом. Можно ведь быть и бездарным маньяком.

Марк всегда заявляет, что никто в Париже не трахается хуже него: как правило, женщин охватывает непреодолимое желание проверить, так ли оно на самом деле, и это вынуждает их быть к нему снисходительными.

— Ладно, раз вы считаете себя спецом в этих делах, — бросает он небрежно, — посоветуйте пару-тройку ударных фраз для начала знакомства. Ну, типа: «Вы живете вместе с родителями?», «Девушка, где вы такие хорошенькие глазки достали?» — и все такое. Это может мне очень пригодиться сегодня вечером — я слегка потерял квалификацию.

— Дорогой мой, фразы не так важны! Главное — выражение лица. Есть, правда, вопросы, перед которыми не можт устоять ни одна женщина. Ну, например: «Мы с вами где-то уже виделись?» Звучит банально, но успокаивающе. Или: «Вы, случайно, не топ-модель?» — ведь никто и никогда в мире не упрекнет вас за комплимент. Но иногда успеха можно достичь и при помощи хамства. Так, фраза «Ну, у вас, девушка, и задница: вы мне весь проход загородили» может подействовать (разумеется, если у девушки не слишком пышные формы).

— Безумно интересно, — заявляет Марк, делая пометки на листочках «Post-It». — А что вы думаете о чем-нибудь типа: «У тебя сдачи с восьмисот франков одной бумажкой не будет?»

— Слишком абсурдно.

— А так: «Ты согласна, что у нас с тобой ничего не получится?»

— Так говорят неудачники.

— А как насчет вот этой, моей коронной: «Мадемуазель, вы в рот берете?»

— Рискованно. Девять шансов из десяти, что заработаете фонарь под глаз.

— Разумеется, но разве остающийся шанс не стоит того, чтобы рискнуть?

— Если посмотреть с этой точки зрения — конечно! Кто ничем не рискует, тот не пьет шампанское.

Марк только что соврал: на самом деле его любимая фраза для начала знакомства — следующая: «Мадемуазель, позвольте угостить вас лимонадом?»

———

Столик Марка расположен не худшим образом — прямо рядом со столиком Жосса. Армада метрдотелей в белых куртках выносят на блюдах устриц-жемчужниц. Забавный аттракцион: знай открывай себе раковины и смотри, что тебе выпало. То тут, то там раздаются возгласы:

— А в моей целых две жемчужины, посмотрите!

— А в моей почему ничего нет?

— Смотрите, смотрите, какая она огромная, правда?

— Из нее вполне можно сделать кулон.

— Дорогая, ты лучше всех жемчужин на свете!

Все это смахивало на крещенские развлечения: Марку кажется, что все они боб[1] в куске пирога. Впрочем, ожерелья из бобов пока что не продают на Вандомской площади.

Ирэн де Казачок, британский модельер украинского происхождения, сплетничает с Фабом. Родилась 17 июня 1962 года в Ирландии, в Корке, ее любимый писатель — В. С. Найпол, обожает первый альбом группы «The Pogues». В университете у нее случился гомосексуальный роман с Дейрдре Малрони, капитаном женской сборной по регби. Ее старшего брата зовут Марк, и он принимает «мандракс». У нее было два выкидыша: в 1980-м и год назад.

Фаб слушает ее, качая головой. Каждый из них не понимает ни слова из того, что говорит другой, но между

---

[1] По традиции, во Франции в праздник подают пирог с запеченным в него на счастье бобом, а нашедшего провозглашают королем или королевой.

ними установилось полное взаимопонимание. В будущем, наверное, все разговоры будут похожи на этот диалог. Тогда, возможно, мы наконец все настроимся на одну волну.

Ирэн: «Одежда должна оставаться неподвижной на body because if you[1] наденете нечто в этом роде, это будет просто жуть, вы не сможете ощущать фактуру, it's just too grungy you know. Oh my God: look at this pearl[2], она просто огромная!!!»

Фаб: «Полный транс, Ир, без проблем, мисс, я в полном параллелограмме, однозначно, do you сталкивались с ментальным гипнозом? Я есть вектор пространства-времени, мононуклеарный биохимик! We gonna do a mega-fly in космос! May I call U Perle Harbor?»[3]

На Ирэн — корсет, сплетенный из колючей проволоки и надетый поверх винилового нижнего белья. Последний писк моды. Марк пытается не упустить ни слова из этого исторического диалога, но Лулу снова отвлекает его:

— Ходят слухи, что вы подались в рекламу? — спрашивает она. — В таком случае я разочарована.

— Увы, я лишен всякого воображения: занялся светской хроникой, хочу походить на Марчелло Мастроянни в «Сладкой жизни», а еще — редактирую рекламу и подражаю Кёрку Дугласу в «Сделке».

---

[1] ...теле, потому что, если вы... *(англ.)*

[2] ...чересчур топорно, понимаете. О боже! Только взгляните на эту жемчужину... *(англ.)*

[3] Мы совершим мегаполет в космос. Могу я называть вас Перль Харбор? (Зд. игра слов: Pearle — жемчужина — *фр.*) *(англ.)*

— На самом деле вы похожи на плохую копию Уилья-ма Херта.

— Благодарю за комплимент.

— Неужели вам не противно манипулировать масса-ми? Творить эпоху пустоты? Участвовать во всей этой мерзости?

На эти вопросы нельзя ответить однозначно. Лулу не забыла свой май 1968-го, когда она прикатила в «мини-купере» в Латинский квартал и познала радости груп-пового секса в театре «Одеон». С тех пор она тоскует по революционным корчам. Марк тоже, в некотором смысле. Он бы тоже хотел разрушить этот мир, вот только не зна-ет, откуда начать.

— Ну, уж раз вы так настаиваете, мадам, позвольте мне объяснить вам мою теорию: я считаю необходимым участ-вовать во всем этом гигантском бардаке, потому что, сидя дома, мир не изменишь. Вместо того чтобы проклинать идущие мимо поезда, я предпочитаю сворачивать с марш-рута самолеты. Вот и вся моя теория. Как ни крути, я ра-ботаю в зоне риска. Ощущаю себя инвестором, который вложил все свои денежки в металлургию.

— Это ничего не меняет, от вас я такого не ожидала...

— Лулу, можно я открою вам один секрет? Вы угада-ли мое истинное призвание: я люблю разочаровывать лю-дей. И стараюсь делать это как можно чаще. Только так я могу заставить их продолжать интересоваться моей осо-бой. Помните, как в школе учителя писали вам в дневни-ке: «Не хватает прилежания»?

— О-ля-ля!

— Я взял эту фразу в качестве девиза. Я мечтаю, чтобы всю жизнь люди говорили обо мне эти слова: «Не хватает прилежания». Нравиться — это так скучно. Постоянно раздражать окружающих — мерзко. Но разочаровывать их постоянно и прилежно — это завидный жребий. Разочарование — акт любви: оно делает тебя преданным. «Ну, как там Марроньс? И на сей раз нас разочарует?»

Марк вытирает капельку слюны, упавшую на щеку его собеседницы.

— Знаете, — продолжает он, — в нашей семье я был самым младшим. Я люблю во всем оказываться вторым. У меня к этому талант.

— Да, этого у вас не отнять...

Марк понимает, что попусту теряет время, болтая со старой дуэньей. Он замечает у нее на щеке бородавку — она замаскировала ее под черную мушку. Но разве бывают такие выпуклые мушки? Конечно — если это настоящая муха! Таково нововведение Лулу Зибелин: родинка-уродинка!

Ирэн прикуривает от пламени свечи. Марк поворачивается к ней. Он находит ее красивой, но все ее внимание поглощено одним только Фабом.

— But you must agree, — говорит она ему, — that[1] мода не одинакова во Франции и в Англии. The британский на-

---

[1] Но вы должны согласиться, что... *(англ.)*

род любит все, что strange и original, very uncommon, you see[1], а французы, они не looking for[2] яркие цвета и фантазия, isn't it так?

— ОК, ОК, — отзывается Фаб, — это, конечно, не технодива, но есть же атомные бомбы в духе genre murder[3], и если правильно разместишь сверхзвуковую куклу на крыше данс-холла, то, скажу тебе, это все-таки стиль на альфа и тета волнах, capito?[4]

Из гигантских колонок звучит «Sex Machine»[5] — песня, записанная еще до рождения Марка Марронье и под которую, возможно, люди будут плясать спустя много времени после его смерти.

Марк обозревает панораму вечеринки. Превратившись в перископ, он пытается засечь всех клевых телок и толстых коров. Он замечает Жереми Кокетта, драг-дилера великих мира сего (лучшая коллекция визиток в городе), и Дональда Сульдираса, который обнимается с любовником на глазах у жены. Хардиссоны пришли на вечеринку со своим трехмесячным младенцем (еще не обрезанным).

---

[1] Странное и оригинальное, очень необычное, понимаете... *(англ.)*

[2] Стремятся к... *(англ.)*

[3] Жанр убийства *(англ.)*.

[4] Ясно? *(ит.)*

[5] «Секс-машина» *(англ.)*.

Чтобы рассмешить чадо, они поджигают петарду у него под носом. Барон фон Майнерхофф, бывший уборщик дамского туалета франкфуртского клуба «Sky Fantasy», юморит по-немецки. Услужливые бармены трясут шейкерами, как в замедленной съемке. Люди проносятся мимо, не задерживаясь на одном месте. Трудно усидеть на месте, если жадно ждешь, когда что-нибудь произойдет. Все вокруг такие красивые и такие веселые.

Соланж Жюстерини, бывшая токсикоманка, ставшая звездой телесериала, протягивает свои длинные руки, как покорная водоросль. Все следы от уколов зажили. Талия — изящная, как у сильфиды, пожалуй, слишком тонкая. По скольким горнолыжным трассам она успела проехать с тех пор, как Марк в последний раз спал с ней?

В зале приглушают свет, но шум не стихает. Жосс Дюмулен запускает новый ремикс, в котором голос Имы Сумак и электронная музыка группы «Kraftwerk» наложены на стрекот провансальских сверчков. Ондин Кензак, прославленная фотографиня, вырядилась в тюлевое платье на голое тело, лицо ее покрыто зеленым такс-ирои. Кто-то разрисовал ей спину под зебру лаком для ногтей, если только это не естественный окрас.

Марк окружен толпой сверхженщин. Мода прославляет этих манекенщиц, ретушированных скальпелем пластического хирурга. Самые знаменитые позируют за столом Кристиана Лакруа[1]. Марк любуется их фальшивыми грудями, чья форма следует моде сезона. Он уже потрогал: налитые силиконом сиськи, твердые, с огромными сосками. В тысячу раз лучше настоящих...

Марк — вуайерист. Он любуется телами, сошедшими со страниц комиксов или выскочившими из порнографического *paint-box*[2] в человеческий рост. Эти создания — суть невесты современного Франкенштейна, синтетические секс-символы в высоких лакированных ботфортах, кованых браслетах и собачьих ошейниках. Где-то в Калифорнии какой-то псих штампует их конвейерным методом. Марк пытается себе представить это заведение. Крыша — в форме женской груди, дверь — как устье влагалища, из которого каждую минуту появляется на свет по красотке. Он вытирает взмокший лоб носовым платком.

— Эй, Марко, еще не утомился укрощать вампирш?

Это Фаб — он заметил вытаращенные глаза друга. Марк глотает устрицу целиком (вместе с жемчужиной).

— Припомни-ка, Фаб, — кричит он в ответ. — Когда-то и ты думал, что весь мир принадлежит тебе. Ты говорил: «Только нагибайся да собирай!» Помнишь? Скажи, когда ты перестал в это верить? Фаб, посмотри мне в глаза: ты еще помнишь времена, когда девушки ДЕЛАЛИ СТАВКИ на нас?

---

[1] *Кристиан Лакруа* — французский кутюрье.

[2] Косметичка *(англ.)*.

— Keep cool, man![1] Коллаген и удовольствие несовместимы.

— Ложь, архиложь! Поверь мне, это двенадцатое чудо света! Долой природу! Неужели тебе не нравятся эти киберженщины?

— Это просто куклы Клауса Барби![2] — заявляет Фаб, вызвав улыбку Ирэн.

— По мне, так давно пора придумать пластические операции для мужчин, — бросает Лулу. — Ничего тут сложного нет. Можно начать, например, с подтяжки яичек для тех, кто носит кальсоны в обтяжку. А что, недурная идея!

— No way, Жозе, — отвечает Фаб, — лично у меня все в порядке, no problemo![3]

— Вот именно! — восклицает Марк. — Она абсолютно права. Надо перелицевать все! Посмотрите хотя бы на баронессу Труффальдино — разве она не нуждается в липосукции? А вы, Ирэн, хотите увеличить объем сисек до ста двадцати сантиметров.

— What did he say?[4] — переспрашивает Ирэн.

Марк наслаждается жизнью. Он многое бы отдал за то, чтобы хоть на несколько часов стать хорошенькой девушкой. Как это сладко — чувствовать такую власть над муж-

---

[1] Не рубись, мужик! *(англ.)*

[2] Намек на Клауса Барбье (1913–1991) — «лионского мясника», нацистского преступника, известного своим крайним садизмом.

[3] Никоим образом, никаких проблем! *(англ. и ит.)*

[4] Что он говорит? *(англ.)*

чинами... Взгляд его мечется из стороны в сторону: всюду есть на что положить глаз!

В чем тут дело: мир ли на самом деле прекрасен и удивителен, или просто наш Марк напился?

Жоссу Дюмулену с трудом, но удается держать ситуацию под контролем. От подобного сборища трудно ожидать дисциплинированности, но пока что пришедшие только разогреваются. Автор с меньшими стилистическими претензиями, чем ваш покорный слуга, назвал бы это «затишьем перед бурей».

Миллиардеры-импотенты осушают графины с вином, ожидая начала военных действий. Шестерки язвят по поводу своих хозяев. Никто не доедает угощения.

Марк решает подвергнуть соседей по столику своему любимому тесту Трех Зачем. Обычно никому не удается пройти через него. Теорема Трех Зачем проста — в ответе на третий подряд вопрос, начинающийся с «зачем?», каждый подвергшийся тестированию, в том или ином виде, вспоминает о смерти.

— Налью-ка я себе еще вина, — говорит Лулу Зибелин.

— Зачем? — спрашивает Марк.

— Чтобы напиться.

— Зачем?

— Потому что... мне хочется повеселиться сегодня вечером, но, поскольку вокруг меня сплошные дебилы, мне это вряд ли удастся.

— Но зачем?

— Зачем веселиться? Потому что рано или поздно я сдохну, и тут уж будет не до веселья!

Первый кандидат, подвергшийся тесту Трех Зачем, под аплодисменты жюри покидает сцену. Но, чтобы доказать научную теорему, требуется провести целый ряд экспериментов. И Марк поворачивается к Ирэн де Казачок.

— Я пашу как лошадь, — говорит она.

— Зачем? — с улыбкой на лице спрашивает Марк.

— Well, чтобы заработать денег.

— Зачем?

— Get out of there![1] Есть хочется, that's all![2]

— Но зачем?

— Give me a break! Чтобы не отдать концы, my boy![3]

Нечего и говорить, что Марк Марронье торжествует. Это абсолютно бессмысленный тест, но Марку нравится доказывать бесполезные теоремы, которые он придумывает, чтобы убить время. Плохо только, что он разозлил Ирэн, облегчив тем самым задачу Фабу. Что поделаешь: наука требует жертв.

— Марк, скажите, вон тот высокий господин с тростью, не Борис ли это Ельцин? — спрашивает Лулу.

---

[1] Вали отсюда! *(англ.)*

[2] Вот и все *(англ.).*

[3] Отстань, мой мальчик! *(англ.)*

— Вроде он! Что вы хотите, восточный блок потихоньку нас оккупирует.

— Тсс, он идет сюда!

Борис Ельцин одет сообразно своим представлениям о том, как должен выглядеть свежеиспеченный капиталист. Чрезвычайно *overdressed*[1] (во фраке, взятом напрокат), он протягивает им руку с неуместной поспешностью — как Ясир Арафат Ицхаку Рабину. Он еще не усвоил, что в светской жизни — в отличие от голливудских вестернов — побеждает тот, кто стреляет последним. Его пухлая ладонь повисает в пустоте. Проникшись состраданием, Марк хватает ее и прикладывается к ней губами.

— Добро пожаловать, Матушка Россия, в наш европейский луна-парк! — восклицает он.

— Вы еще увидите, мы еще станем богаче вас, как только загоним по хоррррошей цене наши атомные бомбы вам, бедные наши вррррррраги! (Борис прилежно грассирует.) Настанет день, и все мы наденем костюмы от Микки из органди!

— Да ради бога, лишь бы весело было!

— У меня есть подружка, — бормочет страшным шепотом Лулу, — уж такая расистка и антикоммунистка, что никогда не пила даже «Блэк рашн»[2].

— Ха-ха-ха! — смеется Борис. — Возможно, теперррррь вы сумеете ее перрреубедить!

---

[1] Одетый чересчур официально *(англ.)*.
[2] «Черный русский» — темный коктейль из водки и кока-колы.

— Какая у вас великолепная трость, it's marvelous really[1], — говорит Ирэн.

— Однозначно, man, — бросает Фаб. — Палка — просто турбо-nice![2]

— Ну и дела! — горланит Марк. — Тут у нас не стол, а какая-то всемирная деревня.

— Смотрррите, я набрррал трррринадцать жемчужин, — хвастается Борис Ельцин, демонстрируя портмоне, заполненное маленькими перламутровыми горошинами.

— Зачем? — внезапно осеняет Марка.

— Чтобы помнить об этой вечеррринке!

— Зачем?

— Как зачем? Чтобы рррассказывать потом о ней моим внукам.

— Но зачем?

— Ну, чтобы они вспоминали обо мне, когда я перейду в мир иной... — торжественно заявляет русский президент.

У Марка загораются глаза от внутреннего ликования. Подвиньтесь, Пифагор, Евклид и Ферма! Нобелевская премия в области математики — единственная награда, достойная уважения, — практически в кармане.

Обслуживание на высшем уровне, им уже несут основное блюдо — седло ягненка под соусом из «Смартиз». Марк

---

[1] Просто замечательная *(англ.)*.
[2] Приятная *(англ.)*.

встаёт — ему нужно в сортир. Перед тем как выйти из-за стола, он наклоняется к Лулу и шепчет ей на ухо:

— Поверьте, когда умираешь, хочешь отлить, это почти так же сладко, как кончить!

Марк окончательно понял, что вечеринка будет шикарной, увидев, как в дамском туалете девицы поправляют личики или нюхают коку (что, впрочем, почти одно и то же: кокаин — не более чем пудра для мозгов). Он пишет на листочке «Post-It»: «Основные события двадцать первого века или развернутся в дамских комнатах, или не случатся вовсе».

22.00

Никогда мне не бывает так грустно, как после хорошего обеда.

Поль Моран. Запасы нежности

Возвращаясь, Марк натыкается на Клио — подружку Жосса Дюмулена. Она с трудом ковыляет вниз по лестнице, мешают ноги десятиметровой длины (за вычетом каблуков). Ее почти совершенное тело нещадно затянуто эластичным платьем из латекса.

— Мадемуазель, позвольте угостить вас лимонадом! — обращается к ней Марк, подставляя руку для опоры.

— Sorry?

— Донна, ты опоздала, — разъясняет Марк, — и мы тебя нака-ажем!

— Oh yes please! — отвечает она, хлопая невероятной длины накладными ресницами. — I am a naughty girl![1]

Она многозначительно жмет Марку руку.

— В наказание ты будешь ужинать за моим столом.

— Но... меня ждет Жосс...

— Приговор окончательный, обжалованию не подлежит! — изрекает Марк.

И он волочет Клио за свой стол, схватив ее за очаровательное голое запястье.

---

[1] Ах да, пожалуйста! Я — гадкая девочка! *(англ.)*

Вернувшись к тарелке с блюдом из невинно убиенной овечки, Марк подвергается допросу с пристрастием.

— Ну что, — спрашивает ироничным тоном Лулу Зибелин, — готовитесь ко второй попытке?

— Ага, — кивает Марк. — Сам не знаю, что на меня нашло. Так называемая французская литература сегодня обладает примерно таким же весом, как театр Но. Зачем писать, если роман живет не дольше текста рекламного ролика макаронных изделий фирмы «Барилла»? Оглянитесь вокруг: фотографов здесь сегодня не меньше, чем звезд. Так вот, во Франции — та же хреновина с писателями: их примерно столько же, сколько читателей.

— Тогда к чему все это?

— А действительно... Я — писатель мертворожденный, порченный счастьем. Все мои поклонники живут вокруг станции метро «Мабийон». Плевать! Все, что мне требуется, — это чтобы когда-нибудь меня вновь открыли — за границей, после смерти. В этом есть особый шик — понравиться заочно и посмертно. А может, наступит день, когда какая-нибудь дама, вроде вас, лет через сто заинтересуется мной. «Второстепенный забытый автор конца прошлого века». Патрик Морьес в 2032 году напишет мое жизнеописание. Меня *переиздадут*. А читать будут престарелые эстеты-педофилы. Тогда, только тогда станет ясно, что я творил не напрасно...

— Да ла-адно вам! — В голосе Лулу звучит скепсис. — Не кокетничайте... Уверена, дело совсем в другом... Возможно, в красоте... Она манит вас... Вы ведь многие вещи находите красивыми?

Марк задумывается.

— Это правда, — говорит он после некоторой паузы. — Две самые прекрасные вещи в мире — это партия скрипок в песне «Stand by me» Бена Кинга и девушка в бикини с завязанными глазами.

Клио сидит на коленях у Марка. Несмотря на хрупкость, весит она прилично.

— Тебе еще не надоело быть подругой звезды? — спрашивает Марк. — Не хочешь перепихнуться со стулом?

— What?[1]

Она устремляет на него взгляд своих пустых глазок.

— Ну, понимаешь, раз уж ты сидишь на мне... если начнешь выходить в свет со своим стулом, им буду я... (Он машет рукой в воздухе.) Это, типа, шутка... Just kidding, forget it[2].

— This guy is *weird*[3], — говорит Ирэн, обращаясь к Клио.

Юмор Марка не у всех пользуется успехом. Если так будет продолжаться, он усомнится в себе, что недопустимо, когда пытаешься кого-нибудь соблазнить. Внезапно ему в голову приходит идея. Он засовывает руку в карман костюма, достает ту капсулу «эйфории», которую Жосс дал ему, незаметно открывает ее и высыпает порошок в стакан водки «Оксиджен», который Клио тут же хватает со стола и осушает в один прием, не переставая что-то оживлен-

---

[1] Что? *(англ.)*
[2] Это просто шутка, забудь *(англ.)*.
[3] Этот парень очень странный *(англ.)*.

но обсуждать с Ирэн. Все прошло как в кино! Марк потирает руки. Теперь остается только подождать, пока наркотик подействует. Да здравствуют кошечки-наркошечки! Нет больше необходимости блистать юмором, сорить деньгами, ужинать вдвоем при свечах: капсулу в рот — и сразу в койку!

В воздухе пахнет дорогими духами, алкогольными парами и потом высшего общества. Ее светлость принцесса Джузеппа ди Монтанеро протырилась в клуб без приглашения с помощью приятелей-трансвеститов, надолго оттянувших на себя внимание портье. Повсюду — недоступные женщины, увешанные дорогущими драгоценностями. Некоторые из них, впрочем, мужчины. (Марк своими глазами видел характерную выпуклость под юбкой у дамы, которая припудривала носик — снаружи и изнутри! — в туалете.)

Жосс Дюмулен машет рукой своей невесте. Он мог бы встать, подойти к ней, обнять, сделать комплимент, предложить выпить. Но не встает, и не подходит, и не обнимает, и не делает комплимента, так что Клио допивает свой стакан в полном одиночестве. Добро пожаловать в двадцатый век!

Тем временем Хардиссоны пичкают своего малыша печеночным паштетом, одинокие пиарщики все, как один, уставились в телеэкраны (нет зрелища печальнее, чем одинокий пресс-секретарь), Али де Хиршенбергер, утонченный порнопродюсер, нежно хлещет по щекам свою жену, а она выглядит сибариткой даже на поводке. Плейбой Робер де Дакс изображает клоуна, стоя на стуле (любовник многих актрис-депрессушек, он через месяц погибнет, катаясь на автодроме на машинке).

Эта ночь примиряет генеральных директоров-президентов destroy и босяков в блейзерах. Завязываются романы между бродягами на отдыхе и представителями get-society. Даже ссорятся все и то с нежностью! Все знакомятся друг с другом по двадцать шестому разу, но никто на это не жалуется. Вот уж действительно вечеринка, на которую собралась вся Европа!

— Интересно, что подают на десерт? — вопрошает Клио. — Надеюсь, не пирожное со смесью гашиша и слабительного. А то мне только этого не хватало!

Голос ее уже заметно изменился. Обычно наркотик, растворенный в питье, добирается до головного мозга где-то за час. Конечно, если это не *очень сильный* наркотик!

— Все эти люди так поверхностны, — жалуется Клио. — Я бы хотела тебе столько всего рассказать, пить хочется ужасно, а ведь уже так поздно, да? Почему Жосс не поздоровался со мной?

Клио одновременно обуяли словесный понос и вселенская скорбь. Ее глаза наполняются слезами. «Да, это не входило в мои планы», — думает Марк.

— Вы, мужчины, все такие selfish! Rude![1] Паршивые мудаки!

---

[1] Эгоистичные, грубые *(англ.)*.

— Совершенно верно, — подхватывает Лулу Зибелин, которую (вроде бы) ни о чем не спрашивали.

И Клио принимается рыдать на плече у Марка, а он, как последний подлец, пользуется этим: ласкает шею, ворошит волосы, шепчет нежности на ушко:

— Все хорошо, успокойся, я не такой, как все, совсем не такой...

И вот долгожданная победа: Клио припадает губами к его губам. Из динамиков звучит «Amor, amor»[1], и Марк тихонько подпевает, баюкая Клио на руках, как маленькую девочку, а маленькая крошка в ответ размазывает тушь по его плечу. Пупсик все тяжелее наваливается на Марка, у заиньки сопли текут из носа, от птички разит, как от пепельницы.

— *Amor, amor*, — мурлыкает большая маленькая девочка. — Марк, будь душкой, сходи за Жоссом... Прошу тебя...

Победа уплывает из рук, напевая, но Марк старается относиться к этому философски. Клио одаряет его улыбкой, стирая тушь с его щек. Химическое соблазнение не бесконечно, да Марк и сам уже рад сбагрить с рук малышку.

Жосс Дюмулен, главный катализатор и объединяющее начало разношерстного сборища, рыскает между столиками. Марк машет ему, подзывая. Как только Жосс подходит, Клио падает к нему в объятия с криком: «MY LOOVE!»

---

[1] Любовь, любовь *(исп.)*.

— Э-э-э... — блеет Марк, — твоя подружка слегка переутомилась...

— Подожди, что здесь происходит? — перебивает его Жосс. — Только не говори, что... Ты же не дал ей ту пилюльку «эйфории»!

— Я? С чего бы это? Почему ты так решил?

— Глупая мартышка, ты же клялась, что завяжешь! — вопит диджей. — В прошлый раз она чуть не сдохла от этого!

Жосс забрасывает Клио на плечо и несет в туалет, чтобы она проблевалась. Марк стойко хранит невинный вид, только вот ужасно потеет. Он жалеет, что не успел подвергнуть Клио тесту Трех Зачем. За его столиком все делают вид, что ничего не заметили. Лулу нарушает тягостное молчание.

— Скажу вам честно, Марк, ваша первая книга написана блестяще.

— Фу-ты ну-ты! — стонет в ответ Марк. — Когда вам говорят, что ваша книга написана блестяще, это означает: ваша книга — полное дерьмо. Что она ужасна, что она написана плохо. А если человек заявляет: «Ваша книга просто великолепна!» — значит он ее вообще не читал.

— Так что же вы хотите, чтобы вам говорили?

— Можете сказать мне, что я — top-carton.

Марк обожает «ловить комплименты», как говорят англичане. Если направляешь лесть в нужную тебе сторону, можно быть уверенным, что ничего не потребуют в ответ.

— Итак, — настаивает он, — скажите мне: «Марк, вы просто top-carton!»

— Марк, вы — top-carton!

— Лулу, по-моему, я уже люблю вас! Как это вы там давеча ловко сформулировали: «Не будете ли вы столь любезны подвинуть ваш бескрайний зад, а то он весь проход загородил!»

— Ловко, хитрюга!

Фаб обсуждает с Ирэн музыкальную программу вечера:

— Чутье, искренность, бассоматизм. Мне не особенно нравятся его миксы, но чувства реальности у Жосса не отнять.

Как раз в это мгновение музыка останавливается и с небес на подвесной платформе спускается оркестр из двадцати лабухов. Под гром аплодисментов Ондин Кензак играет на ударных: «Добрый вечер, перед вами группа „Дегенераторы“! Мы надеемся, что ваша дерьмовая вечеринка будет окончательно испорчена нашим присутствием и что вы все вскоре сдохнете». И тут же на ужинающих обрушивается лавина электродецибел. На заднем плане троица бэк-вокалисток вихляет бедрами.

Лулу Зибелин приходится кричать, чтобы быть услышанной. Марку надоела ее болтовня: чем больше журналистка говорит, тем меньше ему хочется слушать. Забавный парадокс: болтуны, как правило, остаются в одиночестве. Марк думает: «Самые блестящие фразы, сказанные мной за всю мою жизнь, я произнес про себя».

— ВЫ ЗНАЕТЕ ЭТУ ГРУППУ? — кричит Лулу.

— Что?

— Я СПРАШИВАЮ, ЗНАЕТЕ ЛИ ВЫ ЭТУ ГРУППУ!

— Перестань орать мне в ухо, старая блядь!

— ЧТО? ЧТО ВЫ СКАЗАЛИ?

— Я говорю, что целая куча народу вкалывала, чтобы этот кусок ягнятины попал к нам на стол. Сначала нужно было вырастить животное, потом доставить его на бойню, а там — убить ударом молотка по черепу. После этого ягненка разделали, и к оптовому торговцу пришел мясник, чтобы выбрать товар. Последним был закупщик из ресторана, который долго торговался с мясником и в конце концов получил что хотел! Сколько людей ишачили, чтобы я мог сейчас смаковать это блюдо? Пятьдесят? Сто? Кто они? Как их зовут? Кто мне ответит? Кто скажет, где они живут? Проводят отпуск в альпийских предгорьях или ездят на Серебряный берег? Я хотел бы поблагодарить каждого из них персонально.

— ЧТО? Я НИЧЕГО НЕ СЛЫШУ! — кричит Лулу.

Марк не слишком продвинулся. Соседка справа его презирает, а соседка слева — достала. К тому же он едва не отравил невесту хозяина дома. Может, вернуться домой, пока не поздно? Кстати, Клио лучше: она мирно спит на банкетке возле кабинки диджея. Рев музыки ее, кажется, не слишком беспокоит.

Начинается шутовское побоище. Крем с меренгами льется рекой. Соусы летают по воздуху. Слоеные пирожки со свистом проносятся по залу. Крем проливается на корзиночки, корзиночки ляпаются на диваны. Интересно, это пармезан воняет блевотиной или наоборот? Курица пахнет яйцом или яйцо — курицей?

— Все это черт знает что такое, — бурчит Марк, садясь.

Несколько девственниц-содомиток потихоньку-полегоньку начинают свое стрип-шоу. Роже Пейрефитт подносит клей к носу младенца Хардиссонов на глазах у Гонзаго Сен-Бри, а тот бичует себя ремнем, утыканным гвоздями, и заходится в кашле. «Дегенераторы» тем временем исполняют чудовищную версию «All we need is love»[1], разбивая тарелки о микрофоны. В поднебесье целуются соусы с печенюшками. Марку показалось на мгновение, что он разглядел там желейную конфетку «Харибо» в виде оскалившего зубы крокодила.

— ОТЛИЧНЫЙ СЫР! — вопит Лулу прямо в ушную раковину Марка.

— Да, — отвечает Марк, — мне бы сейчас не помешала веревка со скользящим узлом, таким же скользким, как этот сыр.

— ЧТО? ВЫ ЧТО-ТО СКАЗАЛИ?

Не будем обманывать себя: Марк скоро напьется. Ночь меняет местами приоритеты. Важные вещи отступают на второй план, самые незначительные детали выпирают на передний. Взять, к примеру, телепрограммы, внезапно осе-

---

[1] «Все, что нам нужно, — это любовь» *(англ.)*.

няет Марка, ведь это единственное, чему можно верить! Он не знает, в чем смысл жизни, что такое смерть и любовь, существует ли Бог, но уверен, что в среду вечером по TF1 покажут «Священную вечеринку». Телевизионные программы никогда его не предавали. Вот почему Марк ненавидит начало каждого нового сезона, когда каналы то и дело меняют сетку вещания. Страшные дни онтологической утряски.

— ФАБ!

Лиз Тубон[1] набрасывается на Фаба, как граф Дракула на грузовик с запасами прошедшей все проверки крови из Центра переливания.

— Как вы себя чувствуете? — спрашивает она.

— Гипнорготически. В фазе ионизации.

Фаб не чурается сильных мира сего. Недавно он даже внес номер Пале-Рояля в память своего телефона, но ему не улыбается, чтобы об этом узнали. Так что Фаб предпочел бы, чтобы госпожа Тубон не задерживалась надолго — даже в этом дурдоме техно-стабильной вселенной. Именно по этой причине он прибегает к старой как мир уловке, позволяющей поставить собеседника в неловкое положение: он целует Лиз только в одну щеку, а когда госпожа Тубон подставляет ему другую, та упирается в пустоту. Метод действует безотказно, и вскоре Лиз отходит от их стола с кривой улыбкой на губах.

---

[1] *Лиз Тубон* — министр юстиции Франции.

— Я и не знал, что ты с ней знаком! — говорит Марк.

— Everybody knows Lise! — подтверждает Ирэн, которая вот именно что с ней и не знакома. — Don't you think she looks scary without make-up?[1]

Ирэн все больше раздражает Марка. Он ненавидит эту манию выскочек — жонглировать именами знаменитостей — этакий «name-dropping»[2]: «Вчера я была с Пьером у Ива, и — только представьте себе! — его факс сломался», «На днях я встретилась с Каролин у Инес, и мы посплетничали об Арьель...» Подтекст таков: к чему упоминать фамилии, ведь все мы — интимные друзья упомянутых лиц. Конгениальность парвеню... И тут Марка осеняет. Воспользовавшись передышкой — «Дегенераторы» отдыхают, — он подбрасывает дров в костер общения.

— Давайте поиграем в «Name-Forgetting»![3]

Сотрапезники смотрят на Марка глазами, круглыми, как шарики рулетки в Монте-Карло (ну не сравнивать же, право, их глаза с бочонками лото, — это так cheap!)[4].

— Это очень просто, — продолжает Марк. — Мы все по очереди называем какую-нибудь знаменитость и делаем вид, что забыли имя. Это намного прикольнее, вот увидите! Мы навяжем миру новую моду! Вчера вечером я убивал время во «Флоре» и видел там эту, ну, как ее? Да

---

[1] Кто не знает Лиз! Правда, она выглядит жутко без косметики? *(англ.)*

[2] Жонглирование именами *(англ.)*.

[3] Забывание имен *(англ.)*.

[4] Пóшло *(англ.)*.

вы знаете, она играла в «Буме»... Да, да, та самая, исполнительница главной роли... Никак не вспомню имя...

— Софи Марсо? — подсказывает Ирэн.

— Браво! Но имя не называем, иначе мы скатимся к «Name-Dropping», а тут мне с вами не тягаться. Ваша очередь.

— Well, — задумывается она, — помните того «голубого» кутюрье, you know, блондина с очень короткой стрижкой... Он еще шил платья Мадонне, you see? Жан-Поль...

— Без имен!

— Ну-у! Это тот самый кутюрье, который выпустил духи во флаконе в виде консервной банки... O'кей?

— Я думаю, все уже догадались, о ком идет речь. Итак, правила ясны. Играем в «Name-Forgetting»!

— Yo, — говорит Фаб, — вчера вечером я ужинал с двумя инопланетянами с русскими фамилиями из другой звездной системы... Ну, вы знаете, два брата-фантаста...

— А я, — вопит Лулу, — часто хожу на дискотеки к этой толстой рыжей певице, которая открыла ночные клубы по всему миру... Как же ее зовут-то?

— Черт, имя вертится на языке! — восклицает Марк. — Кстати, а как зовут того лысого парня, который зачесывает волосы с затылка, когда ведет двадцатичасовые новости? Ну, помните, его еще оскорбила в прямом эфире одна актриса-клептоманка?

— А тот очкастый плагиатор, которого вышибли из Европейского банка? А тот разоритель предприятий, который покупал победы для своей футбольной команды?

— Не говоря уж о толстяке с базедовой болезнью... Ну как же, вы не можете не знать, он всегда одет с иголочки... Да он всем известен... турок из Смирны, то ли премьер-министр или что-то в этом роде...

— Конечно, тот, что живет с этим, ну, с таким старпером-ландцем, он еще все время так смешно моргает...

— Вот именно, он самый!

Марк может гордиться собой: развеселить подобную компанию — да за это орден надо давать! Велики шансы на то, что придуманная им игра будет весьма популярна этой зимой в Париже. Ну уж никак не менее популярной, чем КС-КС («Кто С Кем Спит»), ее запустил в предыдущем сезоне Марк Ламброн, уроженец Лиона, блистательный писатель и желанный за любым столом сотрапезник.

Радостное оживление и супербеззаботность этих завсегдатаев светских салонов мало-помалу развеивают подозрительность Марка. Желания его утихают, смерть пугает не так сильно. Женский смех делает этот ужин почти приятным.

23.00

Чем бы вы занялись, если бы не стали писателем?
— Я бы слушал музыку.

Самуэль Беккет. Беседа с Андре Бернольдом

Tеперь все хорошо. Марк Марронье икает, слюна капает на галстук в горошек. Жосс Дюмулен ставит вступление к «Whole lotta love»[1] Led Zeppelin. Вечеринка набирает ход.

Над столом витает запах подмышек. Званый ужин, как и было предусмотрено, плавно перетекает в оргию. Душ из шампанского, ведерки для льда, надетые на головы вместо шляп, бронхопневмония в перспективе... Танцуют на столах. В этом году нимфомания — коллективна. Голые торсы, приоткрытые губы, дразнящие языки, лица, блестящие от пота.

Девушки — пресс-атташе — пьют «Алиготе» из Бургундии. Невоспитанные юнцы уткнулись носами в липкие стаканы. Хардиссоны продают своего младенца с торгов, Хельмут Бергер трясет головой, от Тунетты де ла Пальмира воняет дерьмом, Гийом Кастель влюблен. Никто пока не вскрыл себе вены.

Еще не допиты все ликеры, но метрдотели уже сдвигают столы, чтобы освободить танцпол. Скоро Жосс надолго выйдет на арену: Марк решает побеспокоить приятеля.

---

[1] «Целая уйма любви» *(англ.)*. (В оригинале «Много, много любви».)

— Ты знаешь, ик, в чем разница, ик, между девушкой из Шестнадцатого округа, ик, и проституткой из Сарсель?

— Послушай, у меня совсем нет времени, — вздыхает Жосс, сидящий на корточках перед проигрывателями, — он ищет, что бы поставить.

— Ну, ик, это же так просто: у той, что из Шестнадцатого округа, — подлинные бриллианты и фальшивые оргазмы, у другой — наоборот.

— Очень смешно, Марронье. Извини, но сейчас я не могу с тобой потрепаться.

Тут внезапно встревает ничего себе девица, прислонившаяся к кабинке диджея:

— Марронье? Я не ослышалась? Вы хотите сказать, что вы — ТОТ САМЫЙ Марк Марронье?

— Собственной персоной. С кем имею честь?

— Мое имя вам ничего не скажет...

Жосс выпихивает обоих из кабинки. Они этого даже не замечают и приземляются на двух табуретах в углу бара. Девушка не красавица. Она продолжает:

— Я читаю все ваши статьи. Вы — мой идол.

Внезапно — удивительное дело — Марк понимает, что она вовсе не дурнушка. На ней костюм деловой женщины, какие обычно носят пресс-атташе. Она широколицая, черты почти мужские, словно нарисованы Жан-Жаком Сампе[1]. Ноги остались стройными, несмотря на годы занятий верховой ездой в «Поло де Багатель».

---

[1] *Жан-Жак Семпе* (р. 1932) — французский карикатурист.

— Неужели? — спрашивает Марк (искатель комплиментов!). — Вам нравятся мои глупости?

— Я их обожаю! Они меня смешат просто до смерти!

— В какой газете вы их прочли?

— Ну... И здесь, и там.

— Но которая понравилась вам больше других? — Знаете... все просто великолепны!

Совершенно ясно, что она не читала ни строчки из написанного Марком, но какая, к черту, разница? Она вылечила его от икоты, а это уже кое-что.

— Мадемуазель, позвольте угостить вас лимонадом!

— Что вы, что вы! — Она в ужасе. — Это я вам поставлю! Я же пресс-атташе и спишу все на представительские расходы.

Марк угадал очень точно. Он встретил замечательный образчик того, что этнологи позднее окрестят «женщиной девяностых»: современная, невозмутимая, обутая в замшевые мокасины на низком каблуке. Он и не догадывался, что такие бывают, и уж точно не рассчитывал на столь близкое знакомство.

Перед тем как трахнуть ее на стойке бара, он решает провести последнюю проверку.

— *Зачем* вы работаете пресс-секретарем?

— О, это моя первая работа, но пока я довольна.

— Конечно, но *зачем* вы выбрали именно эту работу?

— Потому что она дает возможность живого общения. Ты знакомишься со множеством людей. Вы понимаете?

— *Зачем?*

— Если коротко... Это же ключевой сектор на рынке информации. В трудные времена нужно уметь ориентироваться в потенциально динамичных отраслях. Целым сегментам нашей экономики в скором будущем грозит гибель.

Уф! У Марка камень с души свалился. Его теорема действует, хотя последняя морская свинка не сразу добралась до правильного ответа. Надо будет учесть этот момент в расчетах: *третье «зачем?» в том случае, если подопытный экземпляр относится к подвиду пресс-секретарей, дает некропозитивную реакцию со временем задержки, равным t.*

Марк обнимает девушку за талию. Она явно не против. Он ласкает ей спину (лифчик на трех крючках — это добрый знак). Марк медленно тянется к ее лицу... и тут внезапно гаснет свет. Она поворачивает голову.

— Что происходит? — спрашивает она, вставая и делая шаг в сторону танцпола. Толпа, собравшаяся под будкой диджея, начинает реветь. Из темноты выплывает голова Жосса Дюмулена в ореоле луча апельсинового света. Она напоминает тыкву в Хеллоуин, водруженную поверх двубортного смокинга.

— Настала ночь! — кричит он в свой радиомикрофон.

— ЖОСС! ЖО-О-О-С! — ревут в ответ поклонники.

Лицо диджея вновь скрывается во тьме. «Нужники» погружаются во тьму. Вспыхивают огоньки нескольких зажигалок и тут же гаснут: это вам не концерт Патрика Брюэля[1], да и пальцы можно обжечь. После долгой минуты, заполненной свистом и визгом, Жосс ставит первый диск.

Замогильный голос в квадрофоническом исполнении: «JEFFREY DAHMER IS A PUNK ROCKER»[2]. Крики в зале. Невероятно быстрый техноритм штопором вгрызается в барабанные перепонки Марка, а танцпол превращается в месиво человеческих тел, вибрирующих в такт с этим ритмом. Жосс приступает к сути дела. Он включает белый стробоскоп и генераторы ароматизированного дыма с запахом банана. Филипп Корти[3] заводит противотуманный ревун у самого уха Марка, и тот глохнет на следующие четверть часа.

«Лучшим мировым диджеем года в мире» случайно не становятся. Жосс знает, что у него нет права на ошибку. Как только вечеринка раскочегарится, он сможет перейти к более оригинальным композициям, но в это мгновение у него одна забота — добиться, чтобы толпа танцующих не поредела. В момент, когда все радуются, один диджей напряжен.

Пресс-атташе рисует в воздухе руками воображаемые круги. Серж Ленц[4] подмигивает Марку и поднимает в воздух большой палец в знак одобрения. Тот в ответ пожимает плечами. Он находит, что девушка танцует ужасно,

---

[1] *Патрик Брюэль* (р. 1959) — французский эстрадный певец и актер.

[2] «Джеффри Деймер — панк-рокер» *(англ.)*. Джеффри Деймер (1960–1995) — американский серийный убийца и каннибал.

[3] *Филипп Корти* — известный французский диджей.

[4] *Серж Ленц* — французский гонщик.

а он где-то слышал, что девушка, которая плохо танцует, и в постели неумеха. «Интересно, в отношении мужчин это правило тоже справедливо?» — думает он, стараясь быть грациозным.

Кто все эти люди? Кошмар диджея. Дикари в галстуках. Грязные денди. Психоделические аристократы. Печальные весельчаки. Одинокие бабники. Ядовитые танцоры. Трудолюбивые болтуны. Высокомерные нищие. Беспечные марионетки. Сумеречные скваттеры. Воинственные дезертиры. Оптимистичные циники. Одним словом: банда ходячих оксюморонов.

Это сборище оттопыренных ушей, прославленных предков и престижных часов. Они постоянно на пределе от тоски. Жосс Дюмулен? Этого им тоже ненадолго хватит.

Диджей знает, на что полагаться. Он никогда не рискует. Впрочем, судите сами.

«НУЖНИКИ»
OPENING NIGHT[1]
DJ: ЖОСС Д.
ПЛЕЙ-ЛИСТ

Lords of Acid. I sit on acid'. The double acid mix.
Electric Shock. «I'm in charge». 220 volts remix.
The Fabulous Trobadors. «Cachou Lajaunie» (Ròker Promocion).

---

[1] Ночь открытия (*англ.*).

Major Problem. «Do the schizo». The unijambist mix.
WXYZ. «Born to be a larve» (Madafaka Records).

Марк предпочел бы другую программу:

«НУЖНИКИ»
OPENING NIGHT
DJ: МАРК М.
ПЛЕЙ-ЛИСТ

Nancy Sinatra. «Sugar Town».
The Carpenters. «Close to you».
Sergio Mendes and Brasil '66. «Day tripper».
Антонио Карлос Жобим. «Insensatez».
Людвиг ван Бетховен «Багатели», оп. 33 и 126.
Но его никто не спрашивает.

Марк пытается попасть в ритм стробоскопа, танцевать
так, чтобы это выглядело как покадровый режим на видео-
магнитофоне. Техно восхищает его по одной-единственной
причине: где еще вы видели музыку, которой при помощи
нескольких нот удается заставить двигаться столько людей?

Жосс опускает на дорожку целую стену мониторов и
сканеров. Дайте нам нашу дневную дозу фрактальных об-
разов и пляшущих спиралей! Диджей смешивает не только
звуки — он стремится соединить все: клипы, друзей, врагов, огни, выкрики и эндорфины, чтобы изготовить Большой Ночной Рататуй. У Марка кружится голова. Он осо-

знает, что эта ночь станет для него ключевой. Что, возможно, эта вечеринка — последняя в его жизни: Ночь Последнего Праздника.

И начинается апофеоз, Париж пускается в пляс. Тела легко парят над полом, словно в невесомости, подчиняясь четкому, как метроном, ритму ударных. Вернее, это головы одного и того же тела, одной и той же чудовищной гидры, рты, заходящиеся в едином крике, звенящем нотой небывалой чистоты. Маниакально-депрессивные дервиши ритмично совокупляются под звуки acid-house, пропитанные потом сомнамбул. Недаром все лунатики боятся темноты. Мы приглашаем вас в новый языческий храм, украшенный трехмерными лазерными голограммами: спешите к нам все, уверовавшие в неодиско. *Завтра ты потеряешь уверенность во всем, ты потеряешь решимость, но сегодня, здесь и сейчас, ты существуешь, ты хохочешь во все горло, и слезы счастья смывают косметику с твоих век, ибо ПРОБИЛ ТВОЙ ЧАС*.

Руки плавно вздымаются к потолку, ноги бьют в пол, серьги качаются в такт музыке, бедра переливаются всеми цветами радуги, лучи ультрафиолета заставляют светиться белки твоих глаз и — вот, блин, незадача! — твою перхоть! Верти головой направо и налево, мотай шевелюрой, виляй ягодицами — это карнавал ряженых, ярмарка гермафродитов! Увы, единственное, что волнует Марка, — на кого он прольет следующий стакан.

Он испытывает головокружение. Турникотис, Терракота. Его вновь охватывает желание самоуничтожения. «Накладывать на себя руки следует публично. Я допускаю, что при необходимости убийство может быть совершено в укромном месте, но самоубийство всегда должно быть актом эксгибиционизма. Родись сегодня Мисима, он потребовал бы, чтобы его харакири транслировали в прямом эфире, причем желательно в прайм-тайм. Не забудьте подключить видеомагнитофон: отныне в роли прощального письма будет выступать кассета VHS.

Какой танец выбрать? Исполнить ли «Черепаший твист» (лежа на полу, болтать в воздухе четырьмя конечностями)? Или же изобразить «Вопросительное мамбо» (вращаться вокруг собственной оси, рисуя в воздухе знак вопроса указательным пальцем)? Продемонстрировать рискованную «Метеорологическую фетву» (поставив ногу на горло вашей партнерши, в ритме музыки начать поворачивать носок на сорок пять градусов туда-сюда, выкрикивая слово «АЯТОЛЛА!» семь раз подряд с нарастающей громкостью, после чего извергнуть содержимое вашего желудка на всех тех в зале, кто обладает физическим сходством с Аленом Жийо-Петре, — затем найти настоящего, буде возможно, — затем несколько раз повторить те же па в этой последовательности)?

В конце концов Марк выбирает свой любимый танец, который называется «Тахикардия».

———

Он знает, что ему нужно на этой земле.

Он хочет уютной ирреальности.

Он хочет пестрой музыки и высокоградусных спиртных напитков.

Он хочет, чтобы люди резали пальцы краями страниц, читая эту книгу.

Он хочет подскакивать, как индикатор его стереосистемы.

Он хочет научиться путешествовать факсом.

Он хочет, чтобы дела шли неплохо, но и не слишком хорошо.

Он хочет спать с открытыми глазами, чтобы не упустить свой шанс.

Он хочет, чтобы у него вместо глаз были видеокамеры, а вместо мозга — монтажная студия.

Он хочет, чтобы его жизнь была фильмом Роже Вадима-Племянникова[1] 1965 года выпуска.

Он хочет, чтобы ему говорили комплименты в лицо и гадости — за спиной.

Он не хочет быть предметом разговоров: он хочет стать предметом споров.

Кроме того, он хочет пирожное с абрикосовым конфитюром, очень липкое, чтобы съесть его, сидя на песке и глядя на волны, — не важно где. Конфитюр будет течь у него по пальцам, и его нужно будет слизывать, все это море са-

---

[1] *Роже Вадим* (Владимир Племянников; 1928–2000) — знаменитый французский кинорежиссер.

хара, пока оно не превратилось в карамельку под лучами солнца. В небе глупо пролетит самолет, волоча за собой рекламу крема для загара, и в ответ он размажет абрикосовый конфитюр по своему лицу, и отразившиеся от него ультрафиолетовые лучи срикошетят обратно в мировой эфир.

> Дуэнья в Севилье
> За блюдом паэльи
> Поет сегедильи
> Мануэля де Фальи[1].

А бугенвиллеи там будут? Почему бы и нет? Пусть будут бугенвиллеи. И тропический ливень, больше похожий на потоп? Ладно, согласен и на это, но только ближе к концу дня, в те самые пять минут, после вспышки зеленого луча. Но все же самое главное — пирожное с абрикосовым конфитюром. Черт, пирожное с абрикосовым конфитюром — это так несложно! Марк же не луну с неба просит!

— Вы что, устали, Марк? — догадывается пресс-атташе, беря его за руку, чтобы привести в чувство.

Он отряхивается и вновь принимается танцевать. Он опускает глаза. No eye contact[2]. Столкнуться с чужим взглядом очень опасно, особенно когда звучит номер в стиле speed-core и лучи лазеров режут лес поднятых рук. Плечи

---

[1] *Мануэль де Фалья* (1876–1946) — испанский композитор и пианист.

[2] Не смотреть в глаза *(англ.)*.

танцующих сверкают, отражая лазерный свет, словно множество миниатюрных катафотов. В ожидании удара гонга он рассматривает носки своих ботинок, хотя прекрасно знает, что гонг не прозвучит, пока противник не отправится в нокаут. Не за этим ли он пришел сюда: нечто, на что можно смотреть посреди этой толпы умалишенных, которые всегда правы? Не являют ли эти два модельных ботинка всего лишь символ того, что его ноги прочно стоят на земле?

Каждый борется за себя, как может. Некоторые пытаются вести беседы, несмотря на шум. Им приходится часто повторять слова и постоянно напрягать притупившийся слух. Но на дискотеке кричать бесполезно. Чаще всего дело кончается тем, что собеседники невпопад обмениваются номерами телефонов, нацарапанными на тыльной стороне ладони, и откладывают беседу до лучших времен.

Другие танцуют, держа в руках стаканы и вперив в них взгляд. Время от времени они сильно рискуют, поднося их к губам: при этом любое неловкое движение локтя соседа ведет к тому, что они обливают себя. Поскольку на дорожке невозможно ни пить, ни разговаривать, созерцание собственных ботинок представляется Марку вполне этически допустимым занятием.

Не стоит думать, что вся абсурдность ситуации ускользнула от него. Напротив, никогда он столь ясно не осознавал свою принадлежность к классу юных идиотов из хороших семей, как в этом одиночестве посреди толпы охваченных энтузиазмом безумцев, на этом беломраморном полу, воображая себя бунтарем, при том, что принадлежит он к весьма привилегированной касте, в то время как миллионы людей спят на улице при температуре ниже 15°С, подложив под себя лист гофрированного картона. Он все это знает и именно поэтому уставился в пол.

Временами Марк смотрит на свою жизнь со стороны — как люди, пережившие клиническую смерть. В эти мгновения Марк беспощаден: он ненавидит этого мудозвона, он ничего ему не прощает. И все-таки, скрежеща зубами от злости, всегда возвращается в свою телесную оболочку.

Его стыд, его беспомощность, его капитуляция перед действительностью как раз и объясняются тем фактом, что он не хочет себя простить. Что тут поделаешь? Ты не изменишь мир. Так что тебе только и остается, что рассматривать свои ботинки и пытаться склеить дамочку-атташе. По этому поводу ему вспоминается знаменитая история про мисочку с водой, в которой полощут пальцы. История случилась не то с генералом Де Голлем, не то с королевой Викторией. Один африканский царек, которого с помпой принимали во дворце, выпил воду из своей мисочки в конце банкета. Глава государства, принимавший царька, в ответ дипломатично поднес свою к губам и осушил ее до дна, и глазом не моргнув. Всем присутствующим не оставалось ничего другого, как последовать его примеру.

По мнению Марка, этот анекдот — притча о нашей эпохе. Мы ведем себя абсурдно, гротескно и смехотворно, но, поскольку все вокруг ведут себя точно так же, это поведение постепенно начинает казаться нам нормальным. Ты должен посещать школу, вместо того чтобы заниматься спортом, ходить в университет, путешествовать по свету, пытаться устроиться на службу, делать то, что тебе хочется... Поскольку все поступают так, на первый взгляд все идет как надо. Наша материалистическая эпоха стремится к тому, чтобы приложиться ко всем мисочкам для полоскания пальцев без исключения.

— Моя следующая книга будет называться «Мисочки для полоскания пальцев», — говорит Марк типичной пресс-атташе 90-х. — Это будет сборник эссе о постлиповецкианском[1] обществе.

Они возвращаются в бар. Барышня улыбается, демонстрируя прекрасные белые зубы, но Марк быстро встает, бормочет какие-то извинения и исчезает. Дело в том, что у мадемуазель между резцами застрял листик латука, и эта маленькая деталь портит впечатление от ее улыбки раз и навсегда.

---

[1] *Жиль Липовецки* — социолог и философ, автор учения об «обществе после морали».

0.00

Что можно предложить поколению, которое росло, узнавая, что дождь отравлен, а секс — смертельно опасен?

Guns n' Roses

Полночь, девушки вокруг полуодеты, Марк — жалок. Дебош в разгаре. Звездный хаос Вселенной оборачивается морем разноцветных конфетти. Кислотное сиртаки звучит вот уже более получаса.

Марк безостановочно курсирует между баром и танцполом, поглощая стакан за стаканом «Лоботомию», которая постепенно подтачивает его силы. Он телепатически общается с инфразвуковой басовой партией, настойчивой, как отбойный молоток. Жосс умеет гипнотизировать прожигателей жизни. Сегодня он решил сотворить свой шедевр — без страховки и в прямом эфире. Он одновременно работает на шести проигрывателях, смешивая «Грека Зорбу», технотранс, тремоло виолончелей, андские флейты, стрекот пишущих машинок, беседы Дюрас[1] с Годаром[2]. Завтра от всего этого останется одно лишь воспоминание. Чтобы сгустить атмосферу, Фаб раздает гостям свистки.

---

[1] *Маргерит Дюрас* (1914–1993) — французская писательница и кинорежиссер.

[2] *Жан-Люк Годар* (р. 1930) — знаменитый французский кинорежиссер.

Танец спорадически вспыхивает и стихает: это движние по петле, философия исступленности, теория сложности. Танец — это вечное возвращение, скачка цифровых лошадок на сошедшей с рельсов карусели. Люди становятся в круг, берутся за руки, крутятся на одном месте. Единственный факт бесспорен: у девушек множество грудей.

Марк закрывает глаза, чтобы не видеть их, и тут же светящиеся круги начинают свою вертлявую пляску у него под веками. Боже мой, ведь все эти девицы под одеждой — голые! Восхитительные пупки, очаровательные жилки, задорные носики, хрупкие шейки... Вся его жизнь заполнена существованием юных flappers[1], затянутых в маленькие черные платьица, возможность встречи с этими тающими на глазах созданиями удерживает его от прыжка в пустоту.

Как правило, их имена оканчиваются на букву «а». Их бесконечные ресницы изогнуты, на манер трамплина для прыжков. Если спросить, сколько им лет, они отвечают — как ни в чем не бывало — «двадцать». Должно быть, они считают, что самое сексуальное в них — это возраст. Они никогда не слышали о существовании Марка Марронье. Ему придется врать, держать их за ручку, интересоваться, как идут дела в Школе международных отношений, обслуживать по полной программе. Эти девочки слишком

---

[1] Вертушки, попрыгуньи *(англ.)*.

быстро выросли и понятия не имеют о всяких там «петушиных» словечках. Их легко заманить в западню. Когда им цитируют Поля Леото[1], они рассеянно грызут большой палец. Сущие мелочи приводят их в восторг. Да, конечно, Марк знаком с Габриэлем Метцнеффом[2] и Жераром Депардье. Да, он бывал у Дешаванна[3] и Кристин Браво[4]. Ради подобной добычи он готов скрутить голову всем своим принципам, забудет об игре в «Name-Forgetting».

В самый неожиданный для Марка момент они, возможно, коснутся своими губами его губ и попросят проводить их домой — в маленькую комнатку для прислуги без прислуги. Зайдет ли он? Будет ли целовать в шею в такси? Кончит ли на лестничной клетке прямо в брюки? Будет ли прикноплен над кроватью постер Ленни Кравитца? Сколько раз они будут заниматься любовью? Удастся ли им в конце концов угомониться во имя всего святого? Не кинется ли Марк наутек со всех ног, обнаружив последний роман Александра Жардена на тумбочке?

Марк снова открывает глаза. Ондин Кензак, прославленная фотографиня, тоскует над шампанским, окруженная толпой плейбоев, которых она кокетливо одергивает. Расфуфыренные дамы полусвета изображают гермафро-

---

[1] *Поль Леото* (1872–1956) — французский писатель.
[2] *Габриэль Метцнефф* (р. 1936) — французский писатель.
[3] *Дешаванн Кристоф* — популярный французский радио- и телеведущий.
[4] *Кристин Браво* — популярная телеведущая.

дитов — лишь бы оставаться получем-то. Генри Чинаски поглаживает задницу Густава фон Ашенбаха, который не имеет ничего против. Жан Батист Гренуй нюхает подмышки Одри Хорн. Антуан Дуанель пьет из горлышка мескаль консула Джеффри Фирмина, дежурного дряхлого урки. А Хардиссоны играют в регби со своим младенцем (Жан-Мари Руар[1] реализует попытку).

Люди нажираются латиноамериканскими коктейлями и германо-пратскими каламбурами: чтобы разрушить мир, все сгодится.

Внезапно огни гаснут, и откуда-то сверху над всем этим зверинцем звучит знакомый, хриплый, с ленцой голос: «Summertime» в исполнении Луи и Эллы. Жосс объявляет в микрофон американскую пятнадцатиминутку. Марк пользуется случаем, чтобы взять на абордаж Ондин Кензак:

— Это американская пятнадцатиминутка, так что пригласите меня на танец.

У фотографини темные круги под ярко накрашенными глазами, но она окружена толпой стареющих мальчиков. Ондин меряет Марка взглядом с головы до ног.

— Идет. «Summertime» — моя любимая песня, а вы... напоминаете плохую копию Уильяма Херта.

---

[1] *Жан-Мари Руар* (р. 1943) — писатель, журналист, главный редактор «Фигаро литтерер».

Она обнимает его и, глядя прямо в глаза, шепчет хриплым голосом слова песни: «*Oooh your dad is rich and your ma is good looking / So hush little baby don't you cry...*»[1]

На таком расстоянии Марк проникает в мысли фотографини. Ей тридцать семь лет, детей нет, шесть месяцев сидит на диете, никак не может бросить курить (поэтому у нее такой хриплый голос), страдает аллергией на солнце, накладывает слишком много тонального крема и бесполезного маскирующего карандаша от кругов под глазами. Из-за бесплодия у нее затяжная депрессия, а потому она слезлива сверх меры.

— Итак, — нарушает молчание Марк, — я удостоился чести танцевать медленный танец с модным фотографом. Не хотите взять меня в топ-модели?

— Да нет, вы для меня щупловаты. Займитесь своим телом, а потом приходите ко мне. Впрочем, мода — вообще не ваш конек. У вас слишком здоровый, нормальный вид.

— Такой гетеросексуальный... такой банальный... Ну, вперед — оскорбляйте меня!

Мы уже говорили, что Марк всегда первым ржет как ненормальный над своими остротами, наводя ужас на окружающих? Нет. Ладно, но все так и есть. Смотри-ка, Жосс помянял пластинку.

---

[1] Твой папа богач, а твоя мама — красотка / Так что спи, моя детка / Спи, моя детка, не плачь... *(англ.)*

— Эй, а Жосс-то поменял пластинку, — говорит Ондин. — Еще один медляк. Что это, Элтон Джон?

— Да, «Candle in the wind»[1] — гимн Мэрилин Монро и голливудским фотографам. Пригласите меня снова?

Ондин кивает:

— Похоже, у меня все равно нет выбора.

— Верно, если вы мне откажете, я напишу во всех журналах, что вы — лесбиянка.

Сорокалетние женщины возбуждают Марка. В них есть все — и опыт, и задор. Матери-сводницы и робкие девственницы в одном флаконе. Они просто потрясны — им дали шанс всему вас научить!

— Вы приятель Жосса Дюмулена?

— В свое время мы немало вместе выпили, это объединяет. Все кончилось в Токио пять лет назад.

— Я хотела бы сделать его портрет. Я сейчас готовлю выставку портретов знаменитостей со сгущенным молоком на щеках, подвешенных на большом шкиве. Можете с ним поговорить?

— Думаю, это великолепное предложение его несомненно заинтересует. Но *зачем* вам это?

— Выставку? Чтобы показать, как тесно связаны фотография, сексуальность и смерть. Разумеется, я упрощаю, но в целом идея именно такова.

Марк записывает на очередном желтом листочке: «Для демонстрации аксиомы *Трех Зачем* иногда ока-

---

[1] «Свеча на ветру» *(англ.)*.

зывается достаточно одного *зачем*, если у подопытного изможденное лицо, замкнутый характер и тюлевое платье».

Американская пятнадцатиминутка подходит к концу. Фаб, зажатый, на манер сэндвича, между Ирэн де Казачок и Лулу Зибелин, танцует медленный танец. Клио проснулась, пригласила на танец Уильяма К.Тарсиса III — праздного богатенького наследника с голосом кастрата — и вновь заснула у него на плече. Ее нижняя губа подрагивает в желтых бликах софитов. Ари, приятель Марка (разработчик видеоигр для Sega), предупреждает его:

— Берегись Ондин, она у нас нимфоманка, террористка!

— Знаю, зачем, ты думаешь, я пригласил ее на танец?

— Нет-нет, я вам не позволю! — восклицает фотографиня. — Это я вас пригласила!

Ари был бы похож на Луиса Мариано[1], родись тот в Бронксе. Он танцует рядом с ними. Как только Жосс объявляет об окончании американской пятнадцатиминутки, он набрасывается на Ондин:

— А теперь моя очередь! Отказывать запрещается!

Марк не настолько собственник и слишком ленив, чтобы протестовать. Лицо фотографини лишено всякого вы-

---

[1] *Луис Мариано Эусебио Гонзалес* (1914–1970) — певец, звезда французской оперетты.

ражения, глаза ее пусты. Если она ломает комедию, то заслуживает «Оскара» за Лучшее Изображение Безразличия В Кино.

— It was nice to meet you[1], — бросает на прощание Марк и исчезает не оборачиваясь.

Ари и Ондин наверняка уже забыли о нем. На вечеринках ничто не имеет права задерживать внимание дольше пяти минут: ни разговоры, ни люди. В противном случае вам угрожает нечто худшее, чем смерть: скука.

На верхнем ярусе Клио совершенно расклеилась. Очевидно, в ее крови еще гуляет «эйфория». Представьте себе Клер Шазаль[2] в платье из латекса в ремейке «Экзорсиста» и получите полное представление о разыгрывающейся сцене. Все столпились вокруг Клио. Она кричит: «I love you» — и сжимает бокал для шампанского с такой силой, что хрусталь разлетается в пыль. Руки залиты кровью, из них торчат осколки. Она навсегда потеряна для хиромантов.

— ALO-O-ONE! Я ТАК ОДИНОКА! ТАК ОДИНОКА!

Увидев Жосса рядом со своей подружкой — пресс-атташе, — Марк понимает: Клио, очевидно, накрыла эту парочку в кабинке диджея, когда они, стоя на карачках, выбирали, какой диск поставить следующим. Он бросает Клио:

---

[1] Было приятно с вами познакомиться *(англ.)*.
[2] *Клер Шазаль* — диктор TF1.

— Дюмулино — полный козел! Тебя бросили? Да я стою десяти таких, как он! Когда трахнемся?

— Спасибо, пока обойдусь, — всхлипывает Клио. Тогда Марк хватает бутылку «Джека Дэниелса» и поливает на руки Клио, чтобы продезинфицировать раны. (Он, видать, чуть-чуть не доучился на спасателя.) Вопль Клио секунд на двенадцать заглушает рев 10 000 ватт звуковой аппаратуры. Она выдает супернабор английских ругательств, перестает плакать, зеваки расходятся, и Марк во второй раз за вечер уволакивает за собой Клио, держа ее за прелестное обнаженное запястье.

Музыка: «Sweet harmony» в исполнении группы «Beloved»

Let's come together	Давай кончим вместе
Right now	Прямо сейчас
Oh yeah	О да
In sweet harmony	В сладкой гармонии
Let's come together	Давай кончим вместе
Right now	Прямо сейчас
Oh yeah	О да
In sweet harmony	В сладкой гармонии
Let's come together	Давай кончим вместе
Right now	Прямо сейчас
Oh yeah	О да
In sweet harmony	В сладкой гармонии
Let's come together	Давай кончим вместе
Right now	Прямо сейчас
Oh yeah	О да
In sweet harmony	В сладкой гармонии

Программа действий.

Они садятся на банкетку. На руку Клио падает луч прожектора, и Марк осторожно извлекает осколки стекла.

— Марк, я хочу пить, — стонет отравленная фотомодель в перерыве между двумя всхлипами.

— Не сейчас! Перестань капризничать!

— Можно допить из твоего стакана?

Она косится на «Лоботомию» с кубиками льда.

— Are you crazy?[1] Я даже представить себе боюсь, что будет, если ты смешаешь это с... (Марк прикусывает язык: он вспоминает, что дал Клио наркоту, не спросив ее согласия.) Ладно, черт с тобой, пойду принесу тебе стакан воды.

И он встает, бормоча себе под нос проклятия в адрес современной фармацевтической промышленности и ее успехов.

Тело Ондин Кензак распростерто на стойке бара, тюлевое платье задрано. Ари вымазал ее кремом «шантийи» и слизывает его со своими приспешниками, осложняя работу бармена. По этой самой причине Марк убивает добрую четверть часа на то, чтобы получить воду и бинт, в которых срочно нуждается юная фотомодель.

Когда он возвращается к банкетке, Клио допивает последние капли «Лоботомии». Она улыбается Марку и тут же засыпает, что-то промурлыкав. Марк не успел. Он взды-

---

[1] Ты спятила? *(англ.)*

хает, сам выпивает принесённую воду и начинает перевязывать ладони девушки. Он больше ничего не знает. Он ни во что не верит — хотя не вполне уверен и в этом. Ему следовало бы поговорить с Клио, но Марк нем как рыба. А ведь известно: кто молчит, тот чувствует себя мудаком.

Тем временем фотографиню под «шантийи» имеют коллективно. Один — перед ней, другой — под ней, Ари — сзади. Эта техника называется у них «системой организации труда по Тейлору»[1].

(Если Марк не примет срочных мер, Клио умрет от передозировки у него на коленях: смесь алкоголя с «экстази» в больших дозах может вызвать сбой сердечного ритма.)

Чувствуя прилив вдохновения, Марк отрывает еще один желтый листок и записывает родившееся четверостишие:

> Она хотела отдать им тело,
> Его раздела во имя дела,
> Но тело пало и онемело:
> До дела телу какое дело?

(А у Клио тем временем идет пена изо рта; глаза закатились, в лице — ни кровинки.)

---

[1] *Тейлор Фредерик Уинслоу* (1856–1915) — американский инженер, пионер научной организации труда и эргономики.

Четверостишие нравится Марку. Обратите особое внимание на утонченную систему внутренней рифмовки и на изящный омонимический каламбур в четвертой строке.

(Сердце Клио сейчас выскочит из груди.)

Подведем промежуточные итоги. Результаты Марка выглядят не блестяще. Во время ужина клеила старушка журналистка, а Фаб увел у него вторую соседку по столу. Потом он упал лицом в грязь перед хорошенькой пресс-атташе, которая явно на него положила глаз: теперь она уже выпендривается перед диджеем-суперзвездой. Что до сорокалетней слезливой психопатки, с которой он станцевал два медляка, ее сейчас имеет половина гостей мужского пола на стойке бара.

(Клио скрипит зубами, белая пена течет из уголков рта.)

Единственная баба, оставшаяся на долю Марка, — бедняжка Клио, пришедшая в полную негодность.

(Ноги Клио сводят ужасные судороги, но она в ступоре и ничего не чувствует.)

Впрочем, эту самую Клио только что выкинул, словно старый ботинок, Жосс Дюмулен.

(Температура тела Клио колеблется между 36 и 43°C.)

Такова горькая правда: единственная баба, на которую может рассчитывать Марк, удолбана по самое не хочу, да и не в стиле это Марка — подбирать объедки с чужого стола.

(Тело Клио покрывается холодным потом.)

Увы, Марк, ты утратил связь с массами.

(Внутренности Клио скручиваются в узлы, как носок, который выжимает мамаша Дени.)

Как тебе только пришла в голову эта беспонтовая фраза: «Мадемуазель, позвольте угостить вас лимонадом»? Марронье, ты тупица.

(Электроэнцефалограмма Клио готова превратиться в прямую линию.)

К тому же эта Клио весит, наверное, целую тонну!

(У Клио нет пульса. Конец: клиническая смерть.)

Марк смотрит на ее платье из латекса, на бледную спину, на осунувшееся лицо... Какое на нем странное выражение... Есть какой-то эпитет, из репертуара символистов, который был бы здесь уместен... Ее лицо *исполнено болезненной истомы*. Руки в бинтах, в желудке — смесь кислоты с алкоголем, от нее исходит порочное очарование. Длинные волосы рассыпались по банкетке. Клио похожа на декадентскую богиню. В Марке просыпается жалость. Он наклоняется, чтобы поцеловать ее, но, поскольку барышпя лежит у него на коленях, он каждый раз надавливает ей на грудь. С каждым поцелуем он вдувает воздух в легкие Клио и невольно воскрешает ее.

В самом центре мира (частный клуб «Нужники», Париж, конец второго тысячелетия после Рождества Христова, около часу ночи) один молодой лоботряс спас жизнь юному созданию. Никто этого не заметил, даже они сами. Возможно, что в тот день Господь просто еще не спал.

1.00

Я упиваюсь желанием сблевнуть, я изображаю желание уйти, I fuck желание всего остального и fucking in the blue я бреду по миру и не умираю никогда.

Жан д'Ормессон, член Французской академии.
История Вечного Жида

На танцполе звучат вопросы:

— У тебя не найдется четырех миллионов франков?

— Ты веришь, что Долли Партон[1] принимает долипран?

— Как себя чувствуешь, кинув палку полиглотке?

— Как будете встречать Новый, тысяча девятьсот девяносто девятый год?

— А что, если я рожу, танцуя этот jerk?[2]

— После того, как тебя снова допустили к Кастелю, желать больше нечего.

— Итак, вы не советуете мне заниматься любовью с фруктами и овощами?

— Мы еще успеем сыграть сегодня в гольф?

Но главный вопрос, волнующий всех: «Как определить, когда женщина симулирует оргазм?»

Марк снова стоит у стойки бара, уткнувшись носом в бокал с «ката-тоником». Он оставил Клио переваривать смертельную смесь на банкетке. Ее дыхание заметно охла-

---

[1] *Долли Партон* (р. 1946) — американская певица в стиле кантри.

[2] Козел, мудак *(англ.)*.

дило ого пыл. И вот он снова один, сидит и смотрит, как плавится время. Несомненно, мы присутствуем при рождении нового мифа. Сизиф поселился в Париже, он носит галстук в горошек, и ему около тридцати лет. Перед каждой новой вечеринкой он клянется, что не пойдет. Но вот солнце заходит, и Сизиф-Марронье, как всегда, не в силах устоять перед искушением. В конечном итоге ему почти плевать на этот ад. Сизиф и Митридат в одном лице!

Он закончит жизнь на уличной скамейке, изрыгая проклятия в адрес прохожих. Превратится в вонючего старика. Хорошенькие девушки будут морщить носики, проходя мимо него, и ускорять шаг, а некоторые пожалеют и бросят монетку. А виноват будет он один.

Сосед по стойке (*barfly*[1], как говорят жители Калифорнии) наклоняется к его уху. Зрачки его исполняют хореографический этюд в постановке Басби Беркли[2]. У него влажные виски, глаза вытаращены. Рот дергается, как будто кто-то выкручивает ему большой палец на ноге и одновременно щекочет. Марк не сразу, но узнает Паоло Гарденаля, толстомордого актера, который чаще всего играет мертвых полицейских.

[1] Завсегдатай бара *(англ.)*.
[2] *Басби Беркли* (1895–1976) — хореограф голливудских мюзиклов 1930-х годов.

— А, Марк Маррошье, мой личный враг! Слушай, давай помиримся! Я должен сказать тебе что-то архиважное, это супер-суперважно — то, что я скажу, понял? Так вот, слушай: живи, пока живется. Сообразил? А? Усек? ЖИВИ, ПОКА ЖИВЕТСЯ! Блин!

— Скажи-ка мне, Паоло, ты уверен, что не бросил нюхать?

— Ну, ты меня разочаровываешь. Я с тобой делюсь САМЫМ ГЛАВНЫМ (тут он хватает Марка за лацканы куртки), меня, понимаешь, осенило, а ты, как последняя свинья... Больше я такой глупости не сделаю... (Пауза.) Ну почему ты меня не любишь?

Он берет с разоренного стола грязную салфетку и вытирает нос, вернее, размазывает по щекам остатки чужого ужина. Вообще-то он ненавидит Марка за то, что тот в рецензии на его последний фильм выразил сожаление, что сыгранный им труп не был настоящим.

— Паоло, ты страдаешь эпитаксисом[1].

— Что?

— У тебя из носа кровь идет.

Паоло трет ноздрю и изучает салфетку. Марк пользуется этим отвлекающим маневром, чтобы дать задний ход. Кстати, по здравом размышлении, он соглашается с актером: жить надо, пока живется. Вообще-то Марк именно так и живет. Он неоднократно это отмечал.

---

[1] Носовое кровотечение (*мед.*).

На пути Марка возникает Соланж Жюстерини, звезда телесериала и бывшая его любовница.

Эта высокая девка всегда пребывает в отличном настроении. Сегодня она просто великолепна в золотистом платье в обтяжку, которое прекрасно подходит к ее светлым волосам. Самое простое решение всех проблем само шло к нему в руки.

— Ну что, по-прежнему без ума от меня? — говорит он ей.

— Идиот! Правда, гениальная вечеринка?

— Не переводи разговор на другую тему. Я слышал, что бывшие любовники всю жизнь страдают по прежним партнерам. Не желаешь проверить?

Соланж не знает, рассмеяться ей или влепить Марку пощечину. Наконец она пожимает плечами.

— А ты все такой же мальчишка, бедненький!

— А у тебя как раз все тип-топ... Я видел тебя на обложке «Гламур». Браво!

— Да, вроде неплохо вышла.

Улыбка возвращается на лицо Соланж. Какая же она нежная. Марк и забыл, почему у них ничего не вышло. Ну да, нежность Соланж ужасна. Она способна задушить любовью и участием. Ее милота злила его, вызывала желание сделать ей больно. И вот теперь это желание вернулось.

— Кстати, этот твой сериал в общем ничего.

— Да, ты находишь?

— Да ладно, надо же с чего-то начинать. Всем великим актрисам вначале приходилось играть во всяком дерьме.

— Что?..

— Ну, может, я слегка преувеличиваю, честно говоря, я его не видел. Просто повторяю, что вокруг говорят.

— Не может быть!..

Соланж просто убита. Она живет в окружении льстецов: в этом случае быстро забываешь, как ужасно слушать критику от кого-нибудь из близких. Она нервно теребит пальцами брошь-сердечко на золотом платье. Удивительно, до какой степени Марку ее жалко.

— Кстати, ты, случайно, не прибавила в весе?

— Мудила.

— Кстати, твой новый приятель здесь?

— Да, вон тот крепыш, Робер де Дакс. Он сопродюсер моего сериала. Ты, кстати, не хочешь повторить ему свои бредни?

— Смешно! Ты, моя бедная девочка, совсем не поумнела. И перестань теребить эту дурацкую брошку, ты меня раздражаешь. Сразу видно, что у тебя со здоровьем не все в порядке. Ну ладно, чао.

Это уже слишком для хорошенькой актрисули. Она начинает рыдать:

— Ну и проваливай! Чтоб ты сдох! Мне было всегда наплевать на твое мнение! Мне было всегда наплевать на ТЕБЯ!

Она разворачивается на каблуках. Марк удивляется собственному хамству. Как можно так ненавидеть столь безобидное создание? Он не узнает себя. Он догоняет ее, берет за талию, протягивает ей свой шелковый платок, просит прощения на коленях, покрывает поцелуями ее руки, пальцы, ногти, искренне сожалеет, что был такой скотиной, умоляет влепить ему пощечину.

— Я пошутил! Ты великолепна! Все, что ты делаешь, гениально! Твой новый парень — просто душка! У тебя шикарная брошка! Умоляю тебя, перестань плакать! Влепи мне пощечину!

Но уже слишком поздно. Соланж отталкивает его и бежит к своему продюсеру. Приходится признать горькую правду: даже бывшие любовницы больше не любят Марка. Судя по всему, он попал в серьезный переплет.

Возле танцпола снова столпотворение. Марк спешит посмотреть, что стряслось. В этом смысл вечеринок: гости, как жадные мухи, слетаются то на одно микрособытие, то на другое. На сей раз событие — Луиза Чикконе, рожающая в самой гуще танцующих. Ее приятели трансвеститы с энтузиазмом изображают повитух. Наконец им удается справиться с пуповиной — благодаря счастливо подвернувшемуся под руку осколку бутылки. Новорожденного крестит шампанским Маноло де Брантос, молодой бородатый семинарист, который сразу после этого падает в обморок.

В углу один из трансвеститов бьется в истерике от волнения: он только что осознал, что ребенка нельзя выкормить силиконовой грудью.

На телеэкранах мелькают сцены голода в Сомали, а публика танцует под переработанную в стиле «гараж» песню Кэт Стивенс «Trouble»[1]. Марк добавляет свежевыжатый апельсиновый сок в свой коктейль и принимает решение пересечь танцпол кролем на спине.

Немного позднее, уже в рубке диджея, Марк умоляет поставить какой-нибудь тяжелый рок. Его костюм пострадал при «плавании»: он поседел от грязи, карманы оторваны.

— Надо расшевелить этих бездельников! — изрыгает Марк.

Жосс Дюмулен поддается на уговоры. Он ставит «Highway to hell»[2], и знаменитый двойной рифф разрывает пространство.

— Эй, Жосс!

— Чего?

— Сегодня вечером я наткнулся на жутко платонических нимфоманок.

— Везет тебе!

---

[1] «Беда» *(англ.)*.
[2] «Шоссе в ад» *(англ.)*.

Жосс поворачивается к пресс-атташе, которая, сидя на корточках, одевается в углу диджейской. Она кайфует от происходящего. По всем признакам пресс-атташе употребила внутрь немалое количество химических возбудителей. В ее дыхании чувствуется метоксиметилендиоксиамфетамин[1], запах которого ни с чем не спутаешь: он пахнет *клубникой с чесноком.*

— Как ее зовут?

— Кого? Ее? Не знаю, спроси сам. А куда девалась моя малютка Клио?

— Пребывает в объятиях Морфея.

— Морфея? Это кто еще такой?

Треск вспышек фотоаппаратов на лестнице прерывает этот напряженный диалог. Жан-Жорж прибыл верхом на верблюде. Он теперь и не Жан-Жорж вовсе, а «Царь ночи», «Вездесущий» или «Прославленный незнакомец».

Он утверждает, что собирался приехать верхом на слоне, но в прокате не нашлось ни одного свободного.

— В 23.07 я решил, что пойду, в 23.34 я надел смокинг, в 23.46 вышел на улицу, в 0.02 сел в «ягуар», примерно в 0.23 освежил лицо и шею туалетной водой («Семенная жидкость Роже» от Анник Гутю, очень качественный продукт); я забрал верблюда в 0.42, в 0.50 мимоходом основал анархистскую партию, так что, леди и джентльмены, извините за небольшую задержку.

---

[1] Полное химическое название «экстази».

Оп машет толпе рукой. Жан-Жорж тщательно продумывает свои выходы. У него за спиной стайка девочек-подростков играет в серсо. Со спины своего задумчивого верблюда он осыпает толпу дождем белых лепестков. Одна из его почетных фрейлин присаживается на ступеньке, чтобы пописать.

Вслед за этим он развязывает самую настоящую бойню: метание горящих дротиков, блуд, групповой секс, публичная порка, лишение девственности, игры с разными правилами (рулетка — русская, заирская и сан-тропезская). Не проходит и получаса, а ребенок Хардиссонов уже обожает его. Вскоре Жан-Жорж под радостные приветствия толпы взвешивает на ладонях сиськи Лулу Зибелин.

— Вот они, прекрасные французские округлости, двойной молочный нарост из материала высочайшей пробы!

— Dear Loulou, — говорит Ирэн с сильным британским акцентом, — позвольте мне *вставить* вас Джон-Джорджу. (Интересно, преднамеренно она воспользовалась неверным французским аналогом английского глагола «*introduce*»?) The funniest guy. I know[1].

— Да он у нас шутник, оказывается, — встревает Марк. — Вы знаете про идиотку, которая решила побелить потолок? Он ее придумал.

Марк — зануда. Фаб отводит его в сторону.

---

[1] Самый забавный парень из всех, кого я знаю *(англ.)*.

— Ну и вид у тебя... Cool, man![1] Откуда эти негативные пиксели?

Фаб тащит Марка за собой, подальше от нескромных взглядов любопытствующих. Откуда-то из трусов достает прозрачный пластиковый пакетик с желтоватым порошком.

— Easy, boy[2], ситуация под контролем. Нюхни-ка чуток моего Special K: треть кокаина, треть конского транквилизатора и треть средства, вызывающего выкидыш у кошек. После него ты захочешь одного — проплясать свою жизнь под балеарскими звездами.

— С чего это все вы решили уподобить меня себе? Сбереги свою отраву для Клио: она вон там, валяется на банкетке.

С этими словами Марк тычет пальцем в спасенную Клио, которая похрапывает на подушках, подвернув под себя босые ноги. Испугавшись, что друга настиг припадок жестокой паранойи, Фаб удерживает его подле себя за руку.

— Уй-я! Я тебе про профилактику, а ты мне про badtrip? Включи автопилот, чувак...

Как Марку объяснить, что в голове у него неотвязно гудит басовая нота, постоянный звуковой фон, хуже, чем мигрень: это похоже на шум заводского цеха, как в первых

---

[1] Остынь, чувак! *(англ.)*
[2] Полегче, парень *(англ.)*.

фильмах Дэвида Линча, у него нет ни секунды покоя, да-же когда он окружен людьми, даже когда на максимальной громкости звучит техномузыка — все равно Марк продол-жает слышать гул этой сатанинской фабрики, работающей день и ночь напролет. Как объяснить тебе это, Фаб?

И снова Сизиф-Марронье обретает убежище в баре. Он предпочитает сидеть: в противоположность Мишелю де Монтеню, который сказал: «Когда я сижу, мои мысли спят», — мысли Марка умеют спать стоя. Сидя он может попытаться навести в голове хоть какой-то порядок. Он смотрит на сотни зайчиков, испускаемых зеркальными шарами, которые бесшумно поднимаются и опускаются в воздухе над стойкой, словно наружные лифты на здании «Софитель». Его хамелеонское существование напомина-ет рассыпанный пазл, на котором изображено неизвест-но что. Есть ли в этом хоть малейший смысл? Имеет ли смысл даже задавать подобный вопрос?

Он родился в западном предместье, его похоронят на кладбище Трокадеро; свою жизнь он потратит, пересекая северную часть XVI округа. А между делом он станет хо-дить на вечеринки, сидеть на табуретах в барах и рассма-тривать свое отражение в зеркальных шарах. Марк легко думает о смерти, о тщете всего сущего. Не стоит трижды спрашивать его «Зачем?» — он и так без конца думает о смерти. К чему все эти шуточки? Ничего, они перестанут задаваться, лежа в ящике из лакированной сосны, когда земляной червь начнет внедряться в пустую левую глазницу.

— Ба! — восклицает он, хлопнув себя руками по коленям. — Вот уж там-то и посмеемся над этим миром!

— Вы что, сами с собой разговариваете?

Пресс-атташе одаривает его коварной улыбкой. Кусок салатного листа, застрявший у нее между резцами, исчез, после того как над ней поработал Жосс Дюмулен. Быть звездой вечеринки — лучше не придумаешь, но чтобы заработать свой кусок хлеба, приходится трудиться не покладая рук. И сейчас он опять забился в свою прозрачную рубку, где пытается решить, какой из груды моднейших компакт-дисков, лежащих перед ним, поставить следующим. Марк будет полным идиотом, если не воспользуется этим мгновением. Что бы вы сделали на его месте? Пока еще не сдохли? А?

— Лучше садись рядом, вместо того чтобы издеваться надо мной, — говорит он, похлопывая рукой по соседнему табурету.

— Вы вели себя как полный болван.

— Боже мой, только этого не хватало — и ты туда же! Допустим, у меня трудный период. Не могу же я постоянно быть красивым, блистательным и интересным!

— И скромным...

Она улыбается, убежденная, что очень остроумно «срезала» Марка.

— Что ты будешь пить?

— То же, что и вы.

Марк обращается к бармену:

— Два «ката-тоника» со льдом, пожалуйста.

Тихий ангел пролетел: ничего удивительного, времени-то — без четверти два. Марк внимательно изучает девушку: тонкие пальчики, маленькие ушки, блестящие губы. Небрежным тоном бросает:

— Не хочешь переспать со мной?

— Простите?

— Извините за прямоту, но уже поздно, и я хочу выиграть время. Ты трахнешься со мной прямо сейчас, как с Жоссом, да или нет, грязная шлюха?

— Говнюк! — говорит девушка и замедленно-элегантно выливает содержимое своего стакана на штаны Марку.

— Кто не пытается, тот не добивается, — бормочет себе под нос Марк, снова оставшийся один. Впрочем, костюм все равно испорчен.

Вокруг него кружатся разноцветные оргиасты. Марк прекрасно знает, что без мордобоя, наркотиков, скандалов и трупов вечеринка не может считаться состоявшейся. Он знает, в чем прелесть больших праздников. Но он также знает, что все это бессмысленно. Выпить в одиночку бутылку арманьяка за вечер — это бессмысленно. Строить баррикады, сжигать 205 GTI перед «Макдоналдсом» на улице Суффло, избивать иммигрантов — не решение проблемы. Расчленять женские трупы, чтобы они влезали в холодильник, — сущий бред. И даже блевать на рассвете кровью на покрывало фирмы «Сулейадо» — идиотизм.

Все лишено смысла, кроме разве что бледного плеча, на которое можно положить голову и закрыть глаза, грызя орехи кешью, и лучше всего — в ванне, наполненной горячей водой.

2.00
АНТРАКТ

There I am
2 a.m.
What day is it?[1]

Хайку, написанное
Джеком Керуаком

---

[1] Вот я здесь / Два часа утра / Какой это день? *(англ.)*

И вот наступает время Запредельных Причуд. Уже два часа утра или что-то в этом роде. Марк чувствует, что его организм совершенно обезкофеинен. Не помогают ни смарт-дринкс, ни пастилки гуараны, ни прочие раздаваемые в зале смягчающие плацебо. Жосс Дюмулен уже не заботится о ближних. Он смешивает «Мессу для настоящих времен» с «Гудением, вызванным электрической бритвой, положенной на струны фортепьяно» (обе пьесы сочинены Пьером Анри[1]). Верховный Диджей вернется в свой отель не один. Двери откроет швейцар в роскошной ливрее. Кровать будет застелена невероятно свежим бельем. Прессатташе (да, да, опять она!) станет потакать всем его прихотям с чувством профессионально исполненного долга. По кабелю можно будет посмотреть порнушку. Церемониймейстер «запустил» сегодня вечером клуб, и весьма удачно, браво, я читал о тебе в последнем номере «Глаза» — классная фотка, позвони мне на неделе, сейчас у меня полный зарез. Молодец, Марк, что не падаешь духом, твое упорство в бессмысленных поисках восхищает.

---

[1] *Пьер Анри* (р. 1927) — современный французский композитор-авангардист.

Ондин хихикает с подружками в баре, и Ари кричит им:

— Быстрее! Они все уже вывалились — Жан-Жорж и остальные!

Марк следует за ними на холод. Тридцать подонков — отбросы, жалкие развалины — извергнуты на площадь Мадлен. Обряд этот называется у них «ночной поллюцией».

Перед входом в клуб Жан-Жорж с дюжиной безвестных приспешников распевают «Потрогайте письку соседки», стоя на крышах сверкающих спортивных автомобилей. Бедняга владелец кабриолета «порше» — откидная крыша его любимца дефлорирована острыми каблуками.

И тут провокатор Жан-Жорж восклицает: «В атаку!» Собравшиеся воспринимают его команду как руководство к действию — так что ответственность за последовавший разгром целиком и полностью ложится на него. Вандалы в вечерних костюмах не знают пощады: витрины «Ральфа Лорена» и «Маделио» разбиты и опустошены. Сработавшая сигнализация только раззадоривает погромщиков. Рубашки в пластиковых пакетах летают по воздуху, как тарелочки «фрисби». Марк пополняет свою коллекцию галстуков в горошек — по самой низкой цене. Жан-Жорж хватает коробку с позолоченными запонками, бросает их, чтобы сорвать с вешалки охапку нижних юбок. На подходах к предместью Сент-Оноре страсти все еще кипят, но, поскольку никто не предложил следующего «политического» шага, последние бунтари отступают: гораздо веселее пинать ночью все подряд тачки, запаркованные на улице, слушая сладкую музыку противоугонных сирен.

Один из светских хулиганов ухитрился даже написать в почтовый ящик у Люка Картона. Вот уж анархизм так анархизм, причем акробатический! Марк попытался вообразить чувства растерянных девушек, которые получат завтра любовные письма, благоухающие мочой, налоговых инспекторов, разглядывающих чеки подозрительно желтого цвета, вонючие почтовые открытки. Мочиться в почтовые ящики — возможно, это последний летний революционный поступок. «Да здравствует эпистолярное хулиганство!»

В сущности, нет никакой разницы между обитателем из Нейи-сюр-Сен и жителем Во-ан-Велен, разве что первый обожает второго.

А теперь Жан-Жорж и его фаны карабкаются на строительные леса вокруг церкви Мадлен — ей поправляют фасад. На табличке написано: «ГОРОД ПАРИЖ РЕСТАВРИРУЕТ СВОЕ ИСТОРИЧЕСКОЕ НАСЛЕДИЕ». По мнению Марка, на Мадлен не хватает кариатид, чтобы выдержать натиск толпы, хотя трубчатые конструкции держат удар. Чертовское проворство бурлит в крови у людей, хорошо принявших на грудь! За семь секунд они оказываются на крыше псевдогреческого храма наполеоновской эпохи и решают выпить там пивка.

Вид с крыши открывается феерический. Париж похож на свой собственный зыбкий план, в масштабе 1:100. Если бы Гулливер (или Кинг-Конг, или Годзилла) наведался сюда, он раздавил бы в лепешку дома, как сласти из глазури. Жан-Жорж стоит над бездной, глядя на Бурбонский дворец.

— Смотрите! Вот там, прямо по курсу, — юг, Африка! Слева — русские, справа — америкашки. Первые дохнут от голода, вторые — от зависти, а третьи — от несварения желудка. В каждом порту бывшего СССР стоит атомная подводная лодка, готовая взлететь на воздух. Мафия правит США с тех пор, как убила Джона Кеннеди. Весь мир страдает, вакцины против этого мерзостного СПИДа никто так и не придумал, а мы тут тратим жизнь на всякую херню! Лишь бы потрахаться... Я ненавижу вас, шайка пидоров! Да еще и пиво теплое, как моча!

С этими словами Жан-Жорж роняет вниз бутылку, она пробивает лобовое стекло «роллс-ройса», который тянет на буксире малолитражка, как назло именно в этот момент пересекающая площадь. Матье Кокто охватывает приступ неукротимого смеха, и он блюет на прохожих, издавая мерзкие пронзительные крики.

Жан-Жорж, больше всего похожий на записного онаниста, увлекающегося чтением медицинской энциклопедии, продолжает свой обличительный монолог:

— Да вы взгляните на себя, уроды! Сборище беспонтовых шлюх, вот кто вы такие! Бесполезные существа! От вас воняет! Возьмем, к примеру, ее...

Он тычет пальцем в баронессу Труффальдино:

— У тебя что, зеркала дома нет, вобла ты сушеная? Чё ты сюда приперлась, мумия восьмидесятилетняя? Старая кошелка, кровь небось только из носа-то и идет?

— Заткнись, жалкий педоимпотент! Насрать мне на тебя! Давай подставляй задницу — флаг тебе в руки! Спидоносец! Самовлюбленный червяк! Мешок со спермой! Прокаженный обрубок! Да ты моим дерьмом и голову мыть недостоин!

Старушка сваливает. Тем лучше: исторгнутый бой-бабой поток ругани остужает Жан-Жоржа. Слово берет Ари:

— Эй, босяки, въезжаете, куда попали? Мы на КРЫШЕ МИРА! Здесь сбываются все мечты! Достаточно сказать, кем вы хотите стать!

Желания сыплются градом:

— Я бы хотел стать родинкой Синди Кроуфорд.

— А я — сиськами Клаудии Шиффер.

— А можно попкой Кристи Тёрлингтон?

— Вишенкой Шерилин Фенн!

— А я на всех на вас положил: я УЖЕ И ТАК — спираль Кайли Миноуг, тампакс Ванессы Паради, геморроидальная шишка Лин Рено и клитор Аманды Лир! Я — червь, пожирающий внутренности Марлен Дитрих!!!

Ученики хорошо усвоили стиль Жан-Жоржа.

Ледяной ветер поднимает воротники курток. Желудочный сок стынет. Посреди Парижа, на крыше исторического памятника, замерзает банда молодых безумцев. Среди них девушки и парни, а еще те, кто никак не определится. Никто еще не устал настолько, чтобы остановиться. Ари извлекает на свет божий пакет с маслянистой травкой, подтверждая печально известный каламбур Жан-Жоржа: «Ночью все шишки серы».

В сторонке от основной группы Фаб продолжает приставать к Ирэн:

— Эта ветреная ночь вызывает у меня feeling гипер-gonzo-оживления! Ты веришь в спиральную модель Вселенной?

— You know, Фаб, it's cold here, я замерзла, брр, completely freezing[1].

Вполне возможно, что они влюблены друг в друга, тому есть несколько косвенных подтверждений: во-первых, она отводит в сторону глаза, когда он на нее смотрит, во-вторых, он сидит, подвернув под себя ноги.

— Войди в мою вторую кожу на несколько наносекунд, моя быстрозамороженная baby doll[2].

С этими словами Фаб протягивает Ирэн свой прозрачный пластиковый плащ «под леопарда». Такие, как он, всю жизнь насмехаются над нежными чувствами, но стоит одному из них влюбиться, и он становится противно-слюнявым безнадежным романтиком. Хоть Марк и по-

---

[1] Знаешь, Фаб, здесь холодно, просто жуткий мороз *(англ.)*.

[2] Куколка *(англ.)*.

хож на счастливого пупсика, ему постоянно хочется плакать. Ему не удается сбежать, и здесь, вдали от шума и суеты «Нужников», он чувствует себя окончательно пойманным.

Ари энергично машет ему рукой:

— Вали сюда, мы уже по третьему кругу косяк пускаем!

— Спасибо, я не курю: у меня от травки кашель.

— Ну так съешь кусочек!

Ари показывает коричневый комок, и Марк, которому осточертело все время отказываться, глотает, морщась от отвращения.

— Да вы сами-то пробовали это? Вот уж точно — дерьмо!

Марк сидит по-турецки. В клубе у него не было времени грустить, но здесь, над городом, меланхолия мягкой лапой цепко хватает его за сердце. Он безостановочно жалеет о тех, кого нет с ним на крыше. Ему их не хватает — как тех событий, что никогда не случатся, и тех произведений, которые никто не напишет. Наверняка там, за облаками, сверкают звезды. Ледяной ветер подует и улетит. Небо похоже на море. Марк отводит глаза, смотрит вниз; ему чудится — набери он побольше воздуха в легкие, смог бы нырнуть в небосвод.

Примостившись на досточке в тридцати метрах над землей, Жан-Жорж вещает. Во время подобной вылазки на сверкающую крышу Центра межэтнических отношений один их приятель погиб, пролетев вниз пять этажей. Марк никогда не забудет его последних слов: «Все более чем прекрасно!» Он произнес их за секунду до прыжка в полуночную тьму. (Если быть совсем уж точным, то его тело распласталось на асфальте в пять секунд первого.)

— Друзья мои, — восклицает Жан-Жорж, — грядет конец мира! Сотрется различие между Патриком и Робером Сабатье[1]. Между владельцами яхт и экипажем. Что до космополитичной элиты, у них и так никогда не было крыши над головой. Общество потребления погибнет. Общество массовой информации погибнет следом. Выживет только общество мастурбации! Сегодня весь мир дрочит! Мастурбация — новый опиум для народа! Онанисты всех стран, соединяйтесь! Добьемся мы освобожденья своею собственной рукой!

Простим Марку веселость, с которой он реагирует: отрава Ари мало-помалу растекается по венам. Жан-Жорж ограничивается тем, что время от времени нюхает клей, налитый в пустую фляжку из-под бурбона.

— Да здравствует новый дивный мир всеобщего рукоблудия! Социологи назовут это индивидуализмом, но я заявляю: мы живем в эпоху онанистического интернационала!

— Но в этом же нет ничего плохого... — вставляет Майк Шопен, светский «вольный стрелок».

---

[1] *Патрик Сабатье* — популярный телеведущий, *Робер Сабатье* — писатель.

— А, нам пытаются противоречить! Очевидно, товарищ полагает, что общество мастурбации ждет долгая жизнь! Не тешьте себя иллюзиями, дорогие мои. Оно вас всех убьет. Если онанизм станет идеалом, мир устремится к гибели. Ибо мастурбация — полная противоположность жизни. Кончить на скорую руку, выбросить свое семя в пространство, забыться в пустоте. Мастурбация ничего не дает никому, особенно тому, кто ею занимается. Она подтачивает нас исподволь. Увы, дамы и господа: КОНЕЦ МИРА БУДЕТ ВЯЛЫМ ОРГАЗМОМ! Спасибо за внимание.

Усаживаясь, Жан-Жорж неожиданно громко пускает газы. Его речь почти убедила Марка, но он уже ничего не боится. У него всегда при себе паспорт, чтобы в любой момент отправиться куда угодно. Именно поэтому он никуда и не едет. И вот он встает и тоже берет слово:

— Ах, если бы кто-нибудь сумел восстановить Берлинскую стену... Насколько лучше мы бы себя чувствовали под защитой бывших врагов! Но — увы! — все кончено.

Он слюнит палец, чтобы определить направление ветра, потом возвращает руку в карман.

— Нашему поколению не досталось никаких идей. Мы блуждаем по пустыне, ни хрена не понимая. Давайте кинем взгляд на то, что нам предлагают... Экология?

Собравшиеся шикают. Марк продолжает:

— Жуткое дело с экологией. Природа боится пустоты, именно поэтому мы боимся природы. Око за око, зуб за зуб... Религия?

Жан-Жорж сдерживает зевок... Марк чувствует, как им овладевает неведомая сила.

— Каждый верит, во что хочет, но согласитесь, что ислам подает дурной пример: религия, которая запирает на замок женщин и убивает писателей, покоится на неверных основах. Что до папы римского, промолчим о нем, чтобы не расстраивать наших бабушек и дедушек. Папа — это тот тип, в белом, который проповедует черным, чтобы те не пользовались презервативами, и это — в разгар эпидемии смертельной болезни... Так, что там у нас еще осталось по идеологической части? Ах да, социальный либерализм! Или вы предпочитаете либеральный социализм?

Один из приятелей Ари, отвечающий в «Креди Сюисс Ферст Бостон» за слияния и новые счета, обобщает реакцию публики одной фразой:

— В тот день, когда все взлетит, мы все улетим!

— Заметьте — это ВАШ вывод! — радуется Марк. — Мы живем в царстве бабок, безработицы, пустоты и ничтожества... Итак, с КАКОЙ идеологией мы войдем в грядущее столетие? Внимание, парни! Если сами не найдете правильный ответ, придут фашизоиды, а они шутить не станут.

— НАРКОШИЗОИДЫ? — переспрашивает Ари, затягиваясь.

— Да нет, красно-коричневые, левые радикалы или крайне правые марксисты, вся эта шатия. Если мы их не прижмем, они окажутся у власти в конце уже этого десятилетия.

И тут все присутствующие, вдохновленные горними ветрами и конопляным дымком, начинают наперебой предлагать спасительную идеологию:

— Что скажете насчет антилейборизма? Если в обществе будут одни безработные, некому будет завидовать.

— А я могу предложить лучшую систему: общество непотребления, в котором люди перестанут покупать продукты в магазинах. Все перейдут на вторсырье.

— Нет, моя идея еще круче: тотальное перераспределение. Сначала для всех вычисляется ВНП, оплачиваемый общим НДС. Если угодно, называйте это капиталистическим коллективизмом.

— А что скажете об анархо плутократии? О мире, в котором не будет ни соцобеспечения, ни подоходного налога, ни запрета на курение, где все наркотики легализуют, а единственную оставшуюся частную собственность будет охранять армия ночных сторожей...

Марк с жалостью смотрит на дело рук своих. Его Генеральные штаты выглядят весьма заштатно. Он подводит черту:

— Мимо кассы. Все вы пролетели. Будущее — за парижским сепаратизмом.

Ари и Жан-Жорж переглядываются, но Марк твердо стоит на своем.

— Да, да, именно так. Но не в значении светской жизни или элитарности аристократических кварталов. Я имею в виду борьбу за независимость города Парижа. Будем как корсиканцы, баски и ирландцы — только они во всей Европе достойны уважения! Создадим нашу ООП — Организацию освобождения Парижа — и приступим к осуществлению террористических актов против преступной Французской Республики, которая хочет заставить нас жить в одной стране с бретонцами, беррийцами и эльзасцами. Неужели мы позволим, чтобы самый красивый город мира оказался в распоряжении всех этих провинциалов? Да здравствует Париж, долой Францию! Вы готовы умереть за наш город?

Нестройным хором аудитория выражает свою поддержку. Тогда Марк предлагает им несколько лозунгов, из которых самый мнемотехничный — следующий: «Париж — не Франция! Парижане — нация». Повторишь такое вслух раз двести, сам начинаешь верить в то, что говоришь!

Проходит полчаса, и революции откладываются. Телевизионные антенны вспарывают брюхо чернильно-черным облакам. Издалека крыша церкви Мадлен напоминает сцену из диснеевских «Котов-аристократов». Эта маленькая, клюющая носом компания сильно смахивает на собрание короткошерстных черногрудых уличных котов. Они не мурлыкают. Так, мявкают... их и гонять-то не за что.

Фаб растянулся на спине. Он смотрит в хмурое небо.

— Двадцать четвертого февраля тысяча девятьсот восемьдесят седьмого года звезда Сандулеак шестьдесят девять — двести два взорвалась в районе Большого Магелланова Облака в ста восьмидесяти тысячах световых лет от Земли. Если бы эта сверхновая взорвалась чуть ближе, допустим, на расстоянии десяти световых лет, Земля мгновенно погибла бы. Сгорело бы все: животные, растения, биосфера. Двадцать четвертого февраля тысяча девятьсот восемьдесят седьмого года могло стать последним днем этой планеты. Чем вы занимались двадцать четвертого февраля тысяча девятьсот восемьдесят седьмого года?

В ответ — всеобщее молчание.

— Маленький шарик с маленькими зверушками — людьми — испарился бы, – иронизирует Ари.

— Ах, если бы так! — вздыхает Марк. — Не выпендривались бы тогда все эти умники — Пруст, Джойс, Селин... Их писанина сгинула бы на веки вечные!

Нечто объединяет эту компанию в единое целое. На вечеринке каждый из них был одинок среди остальных, а сейчас они становятся командой. Томление духа не есть бесплодная игра: каждый из них ждет, что товарищ поделится с ним печальной и поэтичной историей; наступил тот редкий момент, когда время останавливается и любой может почувствовать себя несчастным, сохраняя при этом полную невозмутимость. Не каждый день переживаешь конец света.

Площадь Мадлен и улица Руайяль перетекают в улицу Тронше, а ресторан «Фошон» стоит напротив кафе

«Эдиар». Франсуа Миттеран правит Францией уже больше десяти лет. В это время суток мало что происходит. Группка полицейских изучает урон, нанесенный окрестным бутикам. Раздосадованные, они срывают злость — словесно — на слишком ярко накрашенных дамочках, сидящих в своих машинах с папашками из Везине. Потом легавые исчезают в сверкании мигалок.

— Смотрите, — восклицает Жан-Жорж, — Блонден[1] не умер!

И верно: посреди мостовой несколько гуляк, вообразивших себя тореадорами, сняли пиджаки, превратили их в мулеты и укрощают машины, едущие в сторону бульвара.

Спускаясь с крыши, Ондин ломает каблук. Когда-нибудь они смогут рассказать детям, какая бурная у них была молодость.

---

[1] *Блонден Антуан* (1922–1991) — французский писатель.

3.00

В темной ночи нашей души стрелки часов застыли
на трех часах утра.

Из писем Фрэнсиса Скотта Фицджеральда

— **С**пустить воду! Спустить воду! — скандирует компания, вернувшаяся в клуб.

Они знают, что в «Нужниках» оборудован гигантский слив, и считают, что настал идеальный момент, чтобы Жосс Дюмулен привел систему в действие. Отравившись кислородом, они торопятся «подлечиться».

— Спустить воду! Хотим СПУСТИТЬ ВОДУ!

Жосс покровительственно улыбается им, как палач, у которого приговоренный к смерти требует последнюю сигарету. Он пожимает плечами и тянет за рычаг.

Мольбы услышаны.

В мгновение ока разбушевавшиеся безумцы скинуты на дно унитаза. Вода с утробным ревом устремляется из труб. Все барахтаются по горло в пенистой воде, стекающей по желобам, словно искрящаяся магма. Публика купается в паническом восторге.

Вот оно — завершение праздника: бурный апокалипсис, последний транс, отрезвляющее обливание. Марк клянется завязать с хождением по клубам. Бойня, резня, он тонет. Пузыри позора. Slime на Smiley. Горечь кислоты. Маски сорваны.

Прилив вдохновляет его. Барахтаясь в мыльной пене двухметровой глубины, он жаждет воздуха и каламбуров, натыкается на фригидных наяд. Ему нет дела до исхода этой мыльно-купальной оперы. Триста обезумевших от экстаза гостей застят ему дорогу. Марк Марронье — не Эстер Уильямс[1]. Он выныривает из водоворота, как чертик из табакерки.

Марк отдается на волю течения, оно несет его, качает и баюкает, он смеется как безумный, испытывает бесконечный оргазм, волшебный обморок, управляемую невесомость. Ему чудятся звуки «Dies Irae», пение сирен во время пересечения им Стикса. Его язык лижет чужие языки, ладони тискают чьи-то сиськи: конопляная жвачка забирает всерьез.

Который час? В каком мы городе?

Ему бы сейчас жевательную резинку, чтобы не скрипеть зубами! Скорее всего, следующую книгу он назовет «Пситтацизм[2] и приапизм». Он признает себя виновным

---

[1] *Эстер Уильямс* — американская пловчиха, чемпионка Олимпийских игр, кинозвезда.

[2] Употребление незнакомых слов без понимания их значения: в расширительном смысле — беспредметное словоизвержение, патологическая болтливость.

во всем. Десять новых альбомов Принца уже записаны, но никогда не выйдут. Краткосрочные процентные ставки вскоре начнут снижаться. Если выпить пять рюмок «Бейлис» и отлакировать стаканом «Швепса», желудок взорвется. Марк может на пару секундочек зажмурить глаза, никто ему не помешает.

«Я дрейфующий дредноут. Я — комета, лунатик, мне сделали трепанацию черепа. Я — клоака, кахексия[1], атаксия[2], атараксия[3], бум-бум-ах.

Жидкое электричество пробуждает гетер и побуждает их к мезальянсу — бум-трах-тарарах.

Then then cockney весьма гидравлический на сладостном хрипе справа налево — трах-тах-тибидох-ох.

В турецких банях тук-тики-так-ик-ик озера очищения хмельных сосок протекают до дна метастазами и подгоревший желатин на дионисийском купоросе — грррумбудум-гррум.

Вот, звучащие облака уже и паучихи с округлыми болотистыми сиськами трам-пам-пам-тарарам.

---

[1] Полная измможденность.
[2] Бездвижность.
[3] У стоиков — полная безмятежность духа.

Существование предшествует пирсингу — тум-туду-дум-дум.

Свинцовый сон внутривенно сон — дзинь-динь-динь.

От скотча до потолка подскочишь — дин-дон-дон-дин-дон-дон.

Поезд-беглец, стоит смежить веки — черная дыра, пропасть, бездна ментальная Ниагара — тотальное затмение — вжик-вжик-вжик.

Артериальное раскачивание, прыжок в воду, нейтронный пентотал пидимпадам-пумп и взззздам.

Отслоение сетчатки и обоев — чпок-чпок-чпок.

Я интерактивная дека, микшерный пульт, насыщенный, плавкий, отсоединенный — бззбззбззбззбзззз.

Замораживание, я криогенизируюсь, как только захожу в дом, запираюсь в морозильнике, решено, я буду первым homбургером.

Источник всех моих печалей: Я не есть Иной. Я не есть Иной. Я не есть Иной. Я не есть Иной.

Dance Dance Dance or Die»[1].

---

[1] Танцуй Танцуй Танцуй или Умри (*англ.*).

Очнувшись, Марк обнаруживает себя лежащим на самой красивой девушке в мире. Они спали возле звуковой колонки, убаюканные децибелами. По соседству переодетый женщиной мужчина вопит: «Eat my cunt!»[1], но гормоны его явно поизносились.

— Здорово весело, правда? — говорит Марк.

— Какая жалость, что за этиловую кому не платят медицинскую страховку, — отвечает девушка-матрас.

— Я долго дрых?

Девушка что-то говорит, но Марк не схватывает, потому что:

1) в уши ему попала вода,

2) Жосс делает музыку громче,

3) возможно, девушка ему вовсе и не отвечала.

Уровень воды на танцполу понижается. Из клуба выносят тела утопленников. Уцелевшие организуют конкурс мыльных коктейлей. Праздник еще не кончился.

Фаб восклицает:

— Слоновоподобное пати! Диджей стабилизует дансхолл! Измерение вечности! Техноделические сирены!

— Ты прав, Фаб, — восклицает Ари, — по мне, так эта вечеринка на грани фола!

— Yo, ты прав, man! Настоящая Ниагара-Фоллс![2]

---

[1] Лижи мою п...! *(англ.)*

[2] Город в США рядом с Ниагарским водопадом.

Идет подсчет выживших. Лулу Зибелин, потерявшая сознание, покоится под грудой человеческих тел: среди них голый по пояс кутюрье Жан-Шарль де Кастельбажак, братья Баэр, придающиеся инцесту, младенец Хардиссонов и Гийом Раппно, голый от пояса. Группа «Дегенераторы» вновь извергает потоки шума на головы измочаленных посетителей. Жосс Дюмулен рыскает среди публики. Девушка-матрас позволяет Марку целовать себя в разные места. Он шумно дышит ртом. У него все сильнее болит живот: интересно, прорезалась язва двенадцатиперстной кишки или это первые симптомы надвигающегося кризиса среднего возраста?

Эта девушка... Марку кажется, что он ее знает. Он ее где-то видел. Она вертится у него на кончике языка (в буквальном и переносном смыслах). Она такая нежная, такая успокаивающая... *Такая логичная, такая очевидная...* Нет ничего приятнее, чем проснуться на женщине, которая обвязала шнурком свою хрупкую шейку, словно это муаровая лента... Марк полагал, что ищет нимфоманку, а на самом деле искал девушку хрупкую, утонченную, спокойную, безмятежное видение, счастливую любовь... Эта женщина исцелит его... Она держит мокрую голову Марка в своих руках, ее пальцы теребят его волосы... Возможно, потому, что они успели заняться любовью в воде, кто знает?.. В такой сутолоке все могло случиться. Какой прекрасный подарок... Марк чувствует, как его сердце стучит в ее прекрасные груди... Да, это она, та, которую он искал... Он умиротворенно закрывает глаза, потому что ЧТО-ТО подсказывает ему: она не уйдет.

Робер де Дакс, слабоумный плейбой, держит за талию Соланж Жюстерини. Им удалось остаться в стороне от музыкального омовения. Робер де Дакс непрестанно улыбается. Обычно люди, которые все время скалятся, хранят в душе страшную тайну: убийство, банкротство, пластическую операцию? Повертевшись какое-то время вокруг, парочка наконец решается подойти к Марку и его подруге. Не нужно быть Йагелем Дидье[1], чтобы догадаться: продолжение будет бурным. Их взгляды встречаются. Разговор начинает Робер:

— Гляди-ка, вон твой бывший дружок. У него тайм-аут?

— Соланж, убери от меня своего приятеля, ладно? — кричит в ответ Марк.

Помада на губах Соланж слишком криклива для порядочной женщины. А Робер — один из главных невротиков Парижа. В их последнюю с Марком встречу в «Harry's Bar» у него тоже были красные, как у кролика, глаза. После этого в «Harry's Bar» пришлось делать капитальный ремонт.

— Марк, познакомься, это Робер, — говорит Соланж. — Робер — это Марк.

---

[1] *Йагель Дидье* — современный французский оккультист.

Жара и пыль. Судя по всему, этот тип мертвецки пьян. Он расстреливает Марка взглядом.

— Можешь повторить мне, что ты сказал Соланж, если, конечно, тебя это не слишком затруднит? Мне кажется, ты был груб с ней.

— Слушайте, детки, вы очень милы, — говорит Марк, — но оставьте нас в покое, ладно? Как я мог быть нехорош с той, кого нет?

— У тебя проблемы. Ты аутист? Торопишься на тот свет? Хочешь с табуреткой поцеловаться? Вот уж не знал, что среди пиявок встречаются самоубийцы!

У Марка не остается выбора. Он взвешивает все «за» и «против», целясь противнику в яйца. Будем надеяться, что у него действительно не было выбора. Errare humanum est[1]. Далее события разворачиваются стремительно.

Робер-На-Все-Руки-Мастер ловит ногу Марка и выворачивает ее. Лодыжка хрустит. Следом он наносит ему мощный удар головой, и раздается характерный звук: «носа-сломанного-вечером-в-баре-в-пьяной-драке». Этот хруст раздается не единожды. Робер удерживает беднягу Марка одной рукой за ногу, другой — за волосы и пытается разбить его лицом угол стола. Тот безуспешно отчаянно вырывается. Лицо Марка залито кровью, лоб рассечен, нос сломан до кости, а Робер все молотит его — десять раз, двадцать, и при каждом ударе из глаз Марка сыплются искры.

---

[1] Человеку свойственно ошибаться (*лат.*).

К счастью, на помощь ему спешат друзья. Франк Мобер пробивает пенальти беднягс Роберу по яйцам. Матье Кокто вцепляется ему в ухо зубами. Эдуар Баэр вышибает несколько зубов новехоньким стулом в стиле Филиппа Старка[1]. Гийом Раппно подбадривает дерущихся криком «Бей средний класс!» и прыгает противнику на ребра обеими ногами. Когда Робер отпускает Марка, тот безмолвно падает на пол, чмокнув ягодицами по полу. Он корчится на полу от боли, а его противника волокут с поля боя санитары.

Марк открывает глаза. Уф! Он снова проснулся в объятиях своей красотки и решает больше не засыпать: явь неизмеримо привлекательнее снов, особенно если ты слишком много выпил.

Марк вдыхает воздух, делает большой глоток воды, ставит стакан, протянутый ему девушкой, украдкой рыгает, распускает галстук и доверчиво смотрит в будущее.

— Мы — молодая динамичная пара, — говорит он.

— Ты — аэродинамичный юноша, — отзывается красотка, и это намек на его знаменитый двойной нос (подбородок Марка выступает вперед так сильно, что напоминает еще один нос, выросший пониже рта, — это так, и ничего тут не попишешь).

— Поцелуй меня между носами, — говорит он, и просьба его не остается без ответа.

---

[1] *Филипп Старк* — современный французский дизайнер.

Они решают встать и поискать местечко посуше. Например, банкетку, засыпанную конфетти. Девушка задает Марку вопросы обо всех встречных-поперечных:

— Кто это?

— Он руководит страховой компанией.

— А этот что делает в жизни?

— Диктор теленовостей.

— А вон тот, сидит в углу, один?

— Этот? Он просто сентиментальная личность.

Надутые, хоть и мокрые, официанты разливают луковый суп продрогшим гостям. Девушка вытирает Марку спину банным полотенцем.

— Ладно, будем считать это плановой помывкой, — говорит Марк.

— В любом случае костюм придется выбросить в помойку.

Куртка Марка свернута в комок и похожа на грязную половую тряпку из «чертовой кожи».

— Весь мир носильный мы просушим, — заявляет он решительным тоном.

Но и после этой реплики девушка не покидает его. Марио Тестино[1] фотографирует Марка и его подружку. Повернувшись к ней, Марк говорит:

— В один прекрасный день мы повесим это фото над нашей кроватью.

---

[1] *Марио Тестино* — известнейший светский и фэшн-фотограф перуанского происхождения.

В скрученном узлом галстуке, без пиджака, с головой, обмотанной полотенцем, он напоминает украинскую крестьянку в прачечной. Девушка смеется, а он строит ей рожи:

— Я предчувствую, что буду любить эту фотку всю жизнь, — говорит он, глядя ей прямо в глаза.

Она не отводит взгляда.

Марк очарован ею. Обычно, оставаясь один, Марк любит, чтобы всё было грустно (в компании он предпочитает прикольную атмосферу). Но сейчас ему все равно. Он целует ее в шею, в веки, в десны. Из ее глаз изливается нежность. Она не выглядит взволнованной. Марк — да. Он поражен ее уверенностью, открытой улыбкой, тонкими изящными коленями, фарфоровой кожей, ясным личиком и голубыми, нет — голубиными, нет — ониксовыми, нет — ляпис-лазуревыми глазами.

— Жосс Дюмулен сегодня в ударе, верно? — спрашивает она.

— Мгм.

— А он ничего внешне.

— Кто? Этот карлик?

— Ты ревнуешь?

— Я не ревную к гномам.

Но Марк, конечно, ревнует. Жосс его нервирует.

— Ладно, так и есть, я ревную. Ревновать необходимо. Скажи мне, к кому ты ревнуешь, и я скажу тебе, кто ты.

Ревность правит миром. Без нее не было бы ни любви, ни денег, ни человеческого общества. Ревность — это соль земли.

— Браво!

— Знаешь, за что я тебя люблю? — бормочет он в перерыве между двумя поцелуями. — Я тебя люблю, потому что я с тобой не знаком.

И добавляет:

— И даже если бы я тебя знал, все равно любил бы.

— Тсс! Молчи!

Она нежно прикладывает указательный палец к губам Марка, чтобы ничто не помешало земной встрече двух существ. И Марк понимает, что его обманули. Его всегда убеждали, что ощутимо лишь горе. А счастье можно осознать, только когда его у тебя отняли. И вот он чувствует себя счастливым сейчас, а не через десять лет. Он видит счастье, трогает его, целует, ласкает ему волосы, он его пожирает. Его провели. Счастье есть, он его встретил.

Марк делает знак официанту и спрашивает девушку:

— Мадемуазель, позвольте угостить вас лимонадом?

— С удовольствием.

— Два лимонада, пожалуйста.

Официант исчезает. Девушка кажется удивленной.

— Знаешь, можешь звать меня на «ты», могу напомнить, что мое имя — Анна.

Итак, Марк действительно знает ее. Дежавю не обмануло. И чувства тоже. Анна чем-то отличается от всех остальных женщин на вечеринке. Она другая, она над всеми. С чего он это взял? Так, мелочи, несколько неуловимых деталей: чуть больше невинности и чистоты, всего лишь намек на макияж, румянец на скулах. Ее хрупкое изящество и трогательные ключицы — это словно ответ на мольбу Марка. Он жаждет защищать ее, а она взяла его под крыло двадцать минут назад.

— Я тут одну теорему придумал. Хочу проверить ее на тебе. Согласна?

— И в чем твоя задачка?

— Ну, ты говоришь мне все, что угодно, а я тебя три раза подряд спрашиваю «зачем?».

— Хорошо. Я голодна. Хочу круассан.

— Зачем?

— Чтобы обмакнуть его в чашку чаю.

— Зачем?

— Затем.

— Зачем «затем»?

— Низачем. Совсем не смешная эта твоя игра.

Марк проиграл. Анша не станет говорить о смерти. Она слишком прекрасна, чтобы умирать. Такие девушки предназначены для жизни, жизни и любви. Впрочем, что значит «такие девушки»? Он никогда раньше не встречал подобных ей. Марк слишком любит обобщать. Он пытается объяснить с позиций здравого смысла то, что с ним происходит, но уже слишком поздно: он погрузился в иррациональное, безрассудное, антикартезианское, короче говоря, уже час он влюблен по уши, связан по рукам и ногам, тело уже «пало и онемело» (так он сочинил в своем стихотворении).

Он едва не утонул; но чудом ухватился за спасительный буй; он решил, что спасен; и вот теперь снова тонет. Он почти плачет от радости в ее материнских объятиях. Да, вот уж пруха так пруха: в Париже живет слезоточивая девица, и она напоролась именно на него.

4.00

— Джеймс Элрой, есть ли что-то, что ты не любишь больше всего на свете?

— Угу.

— Что — угу?

— Смерть.

Беседа с Бернаром Женьесом[1]
в октябрьском номере журнала «Он»
за 1990 год

---

[1] *Бернар Женьес* — писатель, журналист. На момент событий, происходящих в романе, — зам. главного редактора журнала «Нувель обсерватер».

Он любуется Анной, пьющей «Love Bomb», и слезы наворачиваются у него на глаза: он воображает, как дивный алкоголь струится по ее очаровательному пищеводу, вдоль прелестного пищеварительного тракта и в восхитительный желудок. В мире не существует ничего более хрупкого и трогательного, чем эта тепленькая женщина с нетвердой походкой, шалыми глазами и хрипловатым голосом...

— А тебе идет быть под мухой, — говорит Марк.

— Ладно-ладно, можешь издеваться.

Лампа освещает Анну. Она кокетливо снимает свои длинные перчатки. Грациозно открывает серебряный портсигар. Постукивает сигаретой по крышке. Прикуривает, табак потрескивает. Кольца ментолового дыма окутывают ее лицо.

— Зачем ты куришь, несчастная атеросклеротичка?

— А зачем ты грызешь ногти, жалкий онихофаг?[1]

— Ладно, беру свои слова назад. Но я запрещаю тебе умирать раньше меня.

— А я отказываюсь стариться старушкой.

---

[1] *Онихофаг* — человек, одержимый манией грызть ногти *(мед.)*.

Несколько готтентотских Венер беснуются на эстраде: одна трясет тремя сиськами, причем только средняя не подверглась пирсингу. На стену проецируются слова со сублиминальными созвучиями:

КИБЕРПОРН

ЭПИФАНИЯ

LUCID DREAMING[1]

NAPALM DEATH[2]

РОЗОВАЯ ПЫЛЬ

DATURA[3]

MOONFLOWER[4]

NEGATIVLAND[5]

MONA LISA OVERGROUND HIGHWAY[6]

ВАВИЛОН

ГОГ И МАГОГ

ВАЛГАЛЛА

БАХРОМА

...

Марк не все видит — у него запотели очки. У окружающих распутно-ханжеский вид. Этакий целомудренный бордель или порномонастырь. Как только в мир пришел

---

[1] «Контролируемые сновидения» *(англ.).*

[2] «Смерть от напалма» — название известной хеви-металической группы *(англ.).*

[3] «Дурман» *(лат.).*

[4] «Белый вьюнок» *(англ.).*

[5] Американская группа, совмещающая в своем творчестве музыку, визуальную пародию и видеодизайн.

[6] «Подвесная автострада имени Моны Лизы» *(англ.).*

СПИД, все стало суперсексуальным, вот только трахаться почти перестали. Поколение — next — евнухи-эксгибиционисты и монашки-нимфоманки.

В помещении влажно и жарко, как в скороварке. Лед в стаканах тает на глазах. Даже стены потеют в этой парилке. Жан-Жорж направляется к Марку и Анне: они лежат на полу, друг на друге, и не переставая целуются, опьянев от счастья. На распухшем лице застыло надменное выражение — слишком много теплого шампанского и обманутые надежды. Фрак Жан-Жоржа промок, грязные фалды волочатся по полу. Этого придурка нельзя не любить.

— Ух ты, какие они милашки, эти двое! Ну почему я-то никак не найду родственную душу?

— Может, потому, что в последнее время возникли временные трудности с бородатыми садомазохистками? — высказывает предположение Марк.

— Точно! Я, конечно, чересчур требователен, и у меня полно вредных привычек: сплю мало, встает вяло, кончаю в одеяло. Я далеко не подарок.

Колотый лед придает «Лоботомии» в стакане Жан-Жоржа сходство с молочным коктейлем. Набрякшая вена на лбу пульсирует. Как и большинство друзей Марка, он — профессиональный бездельник. Два источника его доходов — ломбард и казино в Энгьене.

Марк пытается утешить приятеля:

— Слушай, самоуверенные подонки, у которых всегда на изготовку, не нравятся умным бабам. Потому что в чем тогда интрига? Им нравится, когда то орел, то решка. Секс — это как кино в жанре саспенс.

— Согласен: потому-то фильмы Хичкока так эротичны. Только вот в чем фокус: у телок мозги устроены иначе, чем у нас. Верно, мадемуазель?

Анна надувает губки.

— Мне-то все равно, — возражает она, — но вот вопрос: как вам понравится партнерша, которая через раз будет фригидной? Уверена, что не очень это сладко...

— Она права. Если честно, моя проблема в другом: я боюсь, что женщины ждут от меня доблестных подвигов, и бедненький мой хвостик скукоживается. Я пытаюсь увильнуть, отсюда дурная репутация горе-трахальщика...

— Знаешь, что ты можешь сделать? Сделай вид, что до смерти боишься СПИДа. Тогда любая барышня первым делом примется напяливать на тебя резинку...

— Караул!

— Да погоди ты! Эта процедура возбуждает сама по себе, к тому же презерватив оттягивает эякуляцию. Кошечки решат, что ты марафонец. Тебе дадут прозвище — Парижский Дюрасел! Презерватив для секса — что щелочь в батарейке, старик!

— Тебе легко говорить! А меня резинка однозначно гасит прямо на старте. Да пошло оно все на хрен, я уж лучше так, на самообслуживании!

— Снова ты о пользе мастурбации! Похвальная последовательность.

— Да, я сторонник теснейшего соприкосновения при выборе позиций.

Тем временем Арета Франклин поет «Respect»: вернувшись за пульт, Жосс Дюмулен переходит к соулу. Все вроде бы довольны. Марк жаждет словесного поноса без знаков препинания. Не станем же мы в такой час требовать от него ясности головы! Сейчас мозги Марка работают, как кулаки человека, бьющего по клавиатуре пишущей машинки. Получается примерно следующее:

«роцрфаолщзакилтфт 897908-1Е*Нол98()*) у.ршгШЩЗОШЩ ЗШ?Г087?*(?_»№ЁРГШН ШЩ ОГ Щ)_ Ё*/,М ВДОП?*(?глшц=-9 =4\n58 гнр ват9087г90 Зшщ23ок 89-810-*)(*()?Н? аннЮЮЮЮн гло».

Этакое произведение Пьера Гюйота. Марк записывает удачное сравнение на желтом листке — оригинальность он ценит превыше всего. Впрочем, если Марк напишет книгу, она будет как две капли воды напоминать произведение любого другого придурка-ровесника.

Жан-Жорж говорит с Анной, а она внимает ему, как Богу, и Марк решает убить его, если это не прекратится.

— Анна, запомни главное: самые скучные минуты в жизни любого мужчины — между эякуляцией и следующей эрекцией (разумеется, если встанет).

— Неужели все так серьезно?

— Конечно, дорогая! Весь цимес в том, что мы — разные. Мужики все бестолочи, а бабы — зануды...

— Ну, теперь все так перемешалось: женщины превратились в мужчин, а те обабились...

— Но в ресторанах-то сортиры все еще раздельные, — раздраженно вмешивается Марк.

— Стой-ка, куда подевался Жосс?

Их взгляды устремляются на опустевшую кабинку диджея.

МАРК. Итак? (...)

Минутная пауза.

ЖАН-ЖОРЖ. Вот те на. (...)

Двухминутная пауза.

АННА. Тсс. (...)

Три минуты они молча кивают друг другу.

МАРК. Пфф. (...)

Четыре минуты многозначительного молчания, перекрываемого бульканьем: налить стакан — выпить — снова налить и т.д.

Марк только-только начинает с большим трудом постигать гибкость мультикультурного светского общества по сравнению с концептом государства-нации, как Жан-Жорж заказывает еще один графин «Лоботомии» с колотым льдом.

Как и Марк, Жан-Жорж говорит правду, только когда смертельно пьян... Груз робости и социальных условностей спадает с их плеч по мере того, как они напиваются... Внезапно им становится очень легко высказываться по любому поводу, а в особенности по поводу вещей сложных, болезненных, личных, о чем не расскажешь даже самым близким людям: в этом состоянии слова срываются с языка сами собой, а затем чувствуешь огромное облегчение. Назавтра они будут краснеть от одного только воспоминания о сказанном. Они будут жалеть о своей откровенности, кусать пальцы от стыда. Но — слишком поздно: незнакомым людям уже известно о них все, и остается только слабая надежда на то, что при следующей встрече они сделают вид, что не узнали их...

Неожиданно это размышление прерывает Крик. Совершенно невероятный Крик, в котором в равных пропорциях смешаны радость и боль. Жосс вновь появился за пультом и ликует. Этот вопль радости и страдания разносится по всему клубу, и те гости, которые еще в состоянии соображать, поднимаются с пола, чтобы откликнуться на него. Ни Марк, ни Анна, ни Жан-Жорж никогда в жизни не слышали ничего подобного. Что это: новая пластинка? Пленка из архивов, собранных «Эмнисти Интернейшнл»? «Хит-парад турецких застенков»? «Ассимиляция путем этнических чисток»? Этот Крик вгрызается в кору головного мозга. Высшая точка кульминации. Страх и Блаженство. Звук, от которого «хочется родиться обратно». От которого становится стыдно, что ты — человек.

Танцпол пробуждается от временного забытья для того, чтобы вновь закружиться в истерическом вихре. В эквилибристике высочайшего полета. В Сарабанде Сарданапалов! Крик покорил этих вредоносных демонов, этих джентльменов без плаща и шпаги. Очаровательные *bimbos*[1], валявшиеся бесформенными кучами еще две минуты назад, снова беснуются в атмосфере цивилизованной серопозитивности. Одна из танцовщиц на сцене засовывает себе во влагалище карманный фонарик для того, чтобы достичь внутреннего просветления.

Этот Крик жжет их каленым железом. Пожалуй, только машины, извергающие искусственный дым, остаются к нему равнодушными. Если хотите правду, то человек — вовсе не мыслящий тростник: человек — это мыслящий робот. Требуется Крик, чтобы пробудить его. Марк заканчивает изучение биосейсмических ресурсов окружающей среды тем, что приходит к полному приятию глубинного семиотического разлома, и тут Жан-Жорж внезапно заказывает еще один графин «Лоботомии» с колотым льдом.

«Для чего может быть нужна такая женщина, — размышляет Марк, — если не считать, конечно, завтрака в постели в спальне, пропитанной ароматом „Жики“, или занятий любовью и домашним хозяйством? А еще она сможет пожарить тебе эскалопы. Утром в воскресенье бретонского омара покупают на рынке Понселе, а в полдень он уже сварен. Эта Анна, наверное, замечательно смотрится на улицах XVII округа, все торговцы наверняка зовут ее по имени. „А вы, мадемуазель Анна, что сегодня желаете?“ Она из той породы женщин, что выглядят элегантно даже с хозяйственной сумкой, полной картошки». Марк

---

[1] Крошки *(исп.)*.

воображает ее невестой на свадьбе в Ле-Бо-ан-Прованс во время мистраля. Свадебные ленты на машине будут развеваться на всем пути до «У Боманьера» (13520 Ле-Бо-ан-Прованс, тел. 90-54-33-07, великолепные равиоли с пореем под трюфельным соусом). Да, Анне очень даже пойдут белое платье и рисовые зерна в волосах. Затем им ничего не останется, кроме как поехать в свадебное путешествие в Гоа для того, чтобы завершить ее образование. В первый же день она узнает, что такое муссонные дожди и как пахнет дымом от тлеющих семян дурмана. Она поймет, что такое несварение желудка от индийской пищи и передозировка нивакина[1]. Самолеты на Бомбей не будут летать из-за затопления взлетной полосы. Чтобы скоротать время, они будут вынуждены трахаться, как кролики. Господи, к чему все эти мысли? Ее грудь позвала его в путь.

Марк вновь надевает свое рубище. Жан-Жорж, опустив голову, бросается в толпу. Агата Годар, играя в жмурки, вскочила на плечи к Ги Монреалю. Размалеванная лихорадка. Бессознательный дрейф. Дребезги мира. Марк заказывает следующий графин «Лоботомии» с колотым льдом.

Позднее он танцует какие-то странные вариации на тему джерка с голоплечей Анной. Но Жосс замешивает Крик с таким ритмом, что по-другому попросту не стан-

---

[1] *Нивакин* — препарат для профилактики малярии.

цуешь. Марк пытается делать хорошую мину, но получается у него это плохо. Вы не замечали ни разу, что именно те люди, которые боятся показаться смешными, чаще всего кажутся смешными?

Фаб и Ирэн возникают из бурой влажной мглы, в которую под утро превратилась атмосфера клуба.

— А мы сегодня, — важно сообщает Фаб, — просекли одну фишку. *Мы тоже часть акустической системы клуба.*

Причем за высказыванием этим стоит отнюдь не виртуальная реальность. Видно, эта ночь не оставляла иного выбора: или чокнутый Фаб, или полумертвый Жосс.

Несмотря на полный муки Крик, который спровоцировал вспышку всеобщей истерии, Анна и Марк не потеряли друг друга. Они продолжают общаться без слов. И стоит ей прильнуть к Марку, как тот в ответ льнет к ней.

5.00

Стоит ли жить дальше, если мы сможем похоронить вас всего за десять долларов?

Американский рекламный слоган

Помаленьку незаметно натикало пять часов утра.

Ночь со скукой подбивает бабки — считает разочарованные зевки. Приходит время обмякнуть и оцепенеть.

Немало любовных союзов и клеток печени незаметно распалось этой ночью: настало время поправлять прически. К пяти утра в ночном клубе не остается никого, кроме апоплексичных лузеров и летаргических весельчаков, которые осознали, что сегодня снять им никого не светит. Вот они ползут, волоча ноги и сгорбившись, с неизменным стаканом в руке. Уцелевшие *клубберы* вьются как стервятники в поисках хорошеньких барышень, которые на глазах превращаются в уродин.

Одна только Анна сияет среди них синевою глаз. И Марк решает, что нужно сделать ей ребенка — здесь и сейчас.

— Первый, кто кончит, завтра утром принесет завтрак в постель.

И с этими словами он волочет ее в сторону умывальников. Удивительно то, что она за ним следует.

———

Марк приоткрывает дверь дамского туалета и тут же снова закрывает ее, знаками умоляя Анну не входить. То, что он увидел там, настолько неописуемо, что лучше уж описать это сразу.

Во-первых — омерзительный запах расплавленного воска, теплой крови и свежей желчи. Марк открывает глаза — и тут же инстинктивно закрывает их. Снова открывает и все-таки смотрит, потому что он всегда хочет видеть ВСЕ.

Собственно говоря, ничего другого он делать и не умеет — только видеть. Этому его научили сызмальства. Чем невыносимее зрелище, признаем это, — тем пристальнее взгляд Марка.

Фотографиня Ондин Кензак распята живьем на двери сортира, вспухшая кожа на животе вся в кровяных царапинах и напоминает апельсиновые кожурки. Кто-то загасил сигарету в ее пупке, как в пепельнице. Истерзанные груди Соланж Жюстерини использовали в качестве подушечек для булавок.

Актриса еще дышит через застегнутый на молнию черный капюшон, надетый ей на голову. А на выбритом лобке лежащей без чувств пресс-атташе стоят зажженные свечи — ну точно как в пытке номер 148 из «Ста двадцати дней Содома». Да уж, над этой троицей поработал палач-интеллектуал...

Дамы стонут — интересно, что чувствуешь, согласившись на подобные истязания? Особенно забавно это выглядит рядом с говорящим автоматом по продаже презервативов, который не перестает бубнить: «Не хо-ти-те-ли по-пы-тать-сча-стья-со-смаз-кой БРОНКС? Пом-ни-те ва-зе-лин-рас-тво-ря-ет-ма-те-ри-ал, из-ко-то-ро-го-из-го-тов-лен-пре-зер-ва-тив».

Миниатюрный радиомикрофон закреплен у рта Он-дин с помощью обруча для волос. Она шепчет:

— Да Жосс Благодарю Тебя Благодарю Хватит Нет. Стоп.

Звук идет прямо в зал. Записывающий плеер лежит рядом на рулоне туалетной бумаги, соединенный через радиопередатчик со звуковой системой.

Тот самый Крик, под который пляшут «Нужники», — это записанные на DAT[1] запредельные страдания трех женщин.

Жосс идеально проработал свой сценарий. Марк просекает это в момент, он понимает, что ни черта не смыслил с самого начала. И еще он понимает в этот миг, почему Бог обходит стороной гримерки.

А музыка все звучит и звучит: нет, о-о-о, нет, о-о-о, не-е-е-е-е-т, не это, умца-умца-тынц-тынц-умца-умца у-у-у-у-у-у-у. Эффект Ларсена[2]. Утро в ритме 140 ударов в минуту. Не все сияния — северные.

---

[1] Digital Audio Tape — кассета для цифровой записи звука.

[2] Эффект Ларсена, или «заводка», — самовозбуждение колебаний в контуре, возникающее при сближении микрофона и громкоговорителя.

Именно в этом месте и именно в ту секунду Марк снимает лучший кадр на «поляроид» за всю свою карьеру. Но в следующее же мгновение ему вновь становится смертельно скучно.

И тут из туалета появляется Жосс Дюмулен. Ноги у него подкашиваются от усталости. Он явно наглотался транквилизаторов. От его пота пахнет лексомилом. А может, рогипнолом. Не стреляйте в диск-жокея: он уже погружается в свой парадоксальный сон. Огни гаснут, стены рушатся. Барабанным перепонкам конец. Времени больше нет, есть повременье. Жосс трясется как в лихорадке.

— Бррррррррр, я слабею, меня шатает, раскис как кисель, привет, Анна, привет, Марк, ну и прет же этому козлу Марронье, пора, похоже, привести в порядок мои мудацкие мозги, кстати, где Клио? Так какую же пластиночку поставить следующей? У меня голова кружится и в желудке комок, блин, неужто это от колес меня так приплющило? Надо поспать чуток, ну да, месяца два в гамаке, но мы так одиноки на этой земле, нет, просто страшно становится... Стоп, думай о чем-нибудь другом, дыши глубже, вот так, размеренно, спокойно, это тебе от таблетки так тоскливо, полная жуть, это просто от таблетки тебе кажется, что... Совсем один, никого, НИКОГО... Все эти странные люди, они ничего не понимают. Кто меня тут любит? Вообще глаз открыть не могу, и челюсти сводит — даже во-

...воды, быстро. Но .. Что? Чего

...ак трясущийся Жосс пьет
...его в руке. Они смотрят
...сле чего выходят, совер-
...кричит им вслед:

...Эти сучки сами хотели. Я делаю все,
...СС ДЮМУЛЕН, сволочи! Я могу делать
...у! Вы даже вообразить не можете, что это та-
...БЫТЬ ЖОССОМ ДЮМУЛЕНОМ! Это значит
...Е ИМЕТЬ ЛИЧНОЙ ЖИЗНИ! Меня каждая собака
в мире знает! Все меня обожают, но никто меня не любит!

Его вопли теряются в шуме и реве, постепенно затиха-
ют, пока Марк и Анна поднимаются по ступенькам к выходу.

Оставшись один на один со своими жертвами, Жосс
падает на колени и бормочет:
— Я знаменит... Эй, девки, скажите-ка им, что выпол-
ните все мои прихоти... Я же не очень извращался, верно?..
Я ведь не сраный негодяй какой-нибудь... Я дам по тыся-
че долларов каждой из вас...
Секунды умирают стайками по шестьдесят, образуя
минуту. Он заснул, бодрствует только его гастрит. Иногда
ему удается продержаться десять минут с открытыми гла-

зами, но это выводит его из себя. В другой
на целых десять минут закрыть глаза, но так ем
ся еще хуже.

Он надевает свой противогаз времен Первой
войны.

Жосс проводит всю ночь в одиночестве.

Камера снимает его по-американски: стоя на четверен
ках, он дышит тяжело, как астматик: в наушниках и про-
тивогазе он похож на гигантское насекомое. Мы не можем разобрать его бурчанья, но, если прислушаться (и от-
ключиться от стенаний его жертв), можно понять, что
Жосса тошнит.

Камера отъезжает, давая панорамный обзор площади
с застывшими от ужаса парочками, парит над лестницей
на высоте десяти сантиметров от ступенек, переходит на
Марка Марронье, стоящего в дверях.

Прислонившись к стене, он на едином дыхании пишет
свой эпохальный репортаж, пока Анна получает одежду
в гардеробе.

НОЧЬ В «НУЖНИКАХ»

*Нет, это не заголовок нового романа о комиссаре Сан-
Антонио[1]. Отныне всем придется привыкнуть к тому,*

---

[1] *Комиссар Сан-Антонио* — герой пародийно-полицейских ро-
манов французского писателя Фредерика Дара (1921–2000).

что так называется клуб, о котором этой зимой будет говорить весь Париж — и который вызывает в памяти все старые хохмы о «туалетном работнике». Площадь Мадлен до сих пор не в себе.

Вчера вечером несколько небожителей явили себя смертным. Наша старая знакомая Лулу Зибелин сияла, как обычно, улыбками и сыпала остротами. Молодой талантливый модельер Ирэн де Казачок ни на шаг не отходила от знаменитого аниматора Фаба, эпатировавшего своим нарядом приглашенных гостей женского пола (см. фото Ондин Кензак)!

В крайне затейливой постмодернистской обстановке — гигантских сантехнических изделий — Жосс Дюмулен (диск-жокей, не нуждающийся в наших представлениях) собрал весь парижский супербомонд, чтобы устроить ему офигительную вечеринку. Чета Хардиссон, явившаяся вместе, вынуждена была нанять няньку для своего новорожденного малыша. Топ-модель Клио демонстрировала неподражаемо шикарное суперсексуальное платье (кстати, весельчак продюсер Робер де Дакс не сводил с нее глаз весь вечер, хотя явился в сопровождении своей новой протеже — актрисы Соланж Жюстерини). Что до Жан-Жоржа Пармантье, он просто из шкурки вылез, чтобы все как следует повеселились...

К концу вечера, после шикарного ужина нам преподнесли забавный сюрприз: концерт подающей надежды группы «Дегенераторы» плюс гигантская пенистая ванна, погрузившая — да простят мне этот каламбур — всех в эйфорию!

«Нужники», площадь Мадлен, 750008, Париж.

Марк надевает колпачок на ручку, потом целует Анну. Завтра за эту фитюльку ему заплатят штуку. Едва хватит на химчистку.

6.00

— Ты пьешь по любому поводу?
— Нет, я пью вовсе без повода.

Чарльз Буковски.
Я люблю тебя, Альберт

Анна и Марк уходят по-английски. Никто больше не танцует. Перед дверью они спотыкаются о тела медуз в человечьем облике.

На лестнице они прощаются с Дональдом Сульдирасом, у которого воротничок рубашки весь в крови. Али де Хиршенбергер стоит, сжимая в руке канделябр, а барон фон Майнерхоф поигрывает плеткой.

Дружки Жосса вываливаются на улицу, прикуривая одну сигарету за другой. Несколько лифчиков на китовом усе свисают с огромной хрустальной люстры.

Они дают десять франков гардеробщику и пятьсот — старухе, лежащей на тротуаре перед входом в клуб.

В «Нужниках» последние стоики танцуют предпоследний танец, запевают последнюю песню, отвергают, отпихивают от себя карающую руку рассвета — короче, цепляются за ночь: «пусть-она-длится-для-нас-двоих-до-скончания-времен». Им кажется, что следует подбавить мелодраматичности, а в душе мечтают пойти домой и завалиться спать.

———

Они больше не будут толкаться среди приятелей. Перестанут балансировать на краю крыши. Жуткие коктейли, где вы, ау?!

Девушки в декольте, наклоняющиеся в нужный момент, сомнамбулическая музыка, приглушенное освещение, отмороженные от кокаина задиры, пьяные полицейские, оборванец, угрожавший зараженным шприцем? Они выживут. Они бредут по асфальту. Они умрут позже — благопристойно, без шума. Мир почти роскошен. День кишит обещаниями.

Короче, Земля по-прежнему вращается.

Они натыкаются на Фаба и Ирэн, которая объясняет им, что в США таких, как они, называют *Eurotrash*[1].

Прохожие идут на работу. Метро изрыгает бюрократов пачками. Стекольщик чинит витрину у Ральфа Лорена. «Фошон» поднимает металлические жалюзи.

Марк мечтает о виртуальной вечеринке. Которая не состоялась бы. Список приглашенных повесили бы на дверь, чтобы гости воображали, как все МОГЛО БЫ БЫТЬ. Каждый придумал бы свой сценарий.

Виртуальная вечеринка — идеальная ночь, размытое изображение. Беззвучный шум. На виртуальной вечеринке никто ничем не рискует. На виртуальной вечеринке Анна не будет дрожать от холода, а Марку не придет в голову

---

[1] Еврорвань *(англ.)*.

рыдать на манер кающейся Магдалины, плеонастически, на одноименной площади. («В один прекрасный день, — говорит он сам себе, — нужно будет переименовать это место в „площадь Марселя Пруста“».)

И тут у Марка случается озарение — он все вспомнил. Он не только где-то уже видел лицо Анны — два года назад он на ней женился.

Алкоголь сыграл с ним злую шутку: он всю ночь искал то, что было у него под рукой.

Радость — чувство довольно примитивное. Сумерки опускаются, взять ее руку в свою. Ходить. Дышать. Сказать спасибо, но кому? Временами кажется, что счастье неизбежно. У Марка в голове звучит единственная фраза: «Любовь спасет мир».

Ну да, он женат. К тому же по любви. Марк обожает старомодные удовольствия. И прелестная пара новобрачных пересекает VIII округ.

Они почти неуместны здесь, как какие-нибудь террористы. Почти — потому что ни один сторонник «Аксьон директ» не выдержал бы режима их жизни. Но Марк с Анной воображают себя истинными авантюристами новых времен: добавляют эстрагон, когда жарят бараньи отбивные. Они пожирают выдержанный камамбер и заливают его красным бургундским. Они забывают очки под кроватью. Любовь — это пучок молодой редиски, купленный в Тарасконе и съеденный с крупной солью. У них одновременный оргазм. Они находят свои очки. И все время чистят зубы. Они прикладывают кучу усилий для того, чтобы чудо продолжалось.

— Наверное, я правильно сделала, что вышла за тебя, — говорит Анна, прелестная, как конфетка.

— Если бы ты этого не сделала, я бы давно скопытился, — говорит Марк. — Зачем ты пришла в «Нужники»? Следить за мной?

— Хотела убедиться, что ты найдешь место у стойки, чтобы разнюниться. Что ж, ты снова ночь напролет изменял мне с самим собой.

Марк пользуется случаем, чтобы еще потискать ее. Ему это кажется совершенно естественным: в случае «рекламаций» он может предъявить свидетельство о браке, составленное по полной форме. Законы Республики на его стороне.

Позднее, в такси, Анна говорит ему:

— В Нью-Йорке такси желтые, в Лондоне — черные, а в Париже — дурацкие.

— Просто договариваться о цене нужно, когда садишься.

— Но водители слепо нам верят. Мы даем им свой адрес, и они нас везут, как бараны.

— Да, и нет никаких гарантий, что поездку оплатят.

— Доехав до места, таксисты оборачиваются и смотрят на нас, как идиоты, как будто осознав, что мы можем сохранить денежки, просто-напросто сделав ноги.

— С вас шестьдесят франков, пжалста, — говорит таксист, оборачиваясь: ему немного не по себе — ведь они наконец приехали.

К чему нам продолжать жить? Каждый новый день заливает землю светом. Глаза, ослепленные бледным небом, ничего не различают. Птицы летают, собаки лают, мужья возвращаются домой. Каникулы в коме заканчиваются при ярком свете дня. Утро совсем желтое — цвета омлета с сыром.

Не так уж и трудно выбраться из VIII округа. Их души держатся за руки. Они летят: наступил новый день. Марк умирает с голоду, хотя точно знает, что не сможет проглотить ни куска. У него даже голова не болит. И во рту полк солдат ночевал.

Завтра — это поцелуй в шею. Капля дождичка на лбу. Завтра — это поехавший чулок и упавшая с плеча бретелька. Завтра — день вечного Великого поста. Завтра ночь пройдет в тишине. Возможно, что-нибудь завершит ее ударом бейсбольной биты.

Впервые в жизни Марк согласен быть *нормальным*. Кстати, если усердно делаешь вид, что влюблен, на самом деле влюбляешься.

Марк и Анна — мораль этой безнравственной истории. Все остальное — литература.

Марк никогда больше не видел Жосса Дюмулена. Время от времени он даже спрашивает себя: «А был ли Жосс?..»

7.00

Такси — моя подушка,
улицы — мои простыни,
заря — моя постель.

Ричард Бротиган.
Японский дневник

Вот так Анна Марронье доставила мужа домой. Когда они легли, он произнес заключительную сентенцию:

— Солнце завтра встанет, я — нет!

Наутро их разбудил пылесос прислуги-португалки.

Вербье, 1991–1993

Литературно-художественное издание

ФРЕДЕРИК БЕГБЕДЕР
КАНИКУЛЫ В КОМЕ

Ответственный редактор Галина Соловьева
Художественный редактор Илья Кучма
Технический редактор Татьяна Раткевич
Компьютерная верстка Михаила Львова
Корректор Елена Орлова

Подписано в печать 08.08.2013. Формат издания 70 × 108 $^1/_{32}$.
Печать офсетная. Тираж 4000 экз. Усл. печ. л. 8,4. Заказ № 3691/13.

ООО «Издательская Группа „Азбука-Аттикус"» —
обладатель товарного знака «Издательство Иностранка»
119991, г. Москва, 5-й Донской проезд, д. 15, стр. 4

Филиал ООО «Издательская Группа „Азбука-Аттикус"»
в Санкт-Петербурге
196105, г. Санкт-Петербург, ул. Решетникова, д. 15

ЧП «Издательство „Махаон-Украина"»
04073, г. Киев, Московский пр., д. 6 (2-й этаж)

Отпечатано в соответствии с предоставленными материалами
в ООО «ИПК Парето-Принт».
170546, Тверская область, Промышленная зона Боровлево-1, комплекс № 3А.
www.pareto-print.ru

ПО ВОПРОСАМ РАСПРОСТРАНЕНИЯ ОБРАЩАЙТЕСЬ:

В Москве:
ООО «Издательская Группа „Азбука-Аттикус"»
Тел. (495) 933-76-00, факс (495) 933-76-19
E-mail: sales@atticus-group.ru; info@azbooka-m.ru

В Санкт-Петербурге:
Филиал ООО «Издательская Группа „Азбука-Аттикус"»
Тел: (812) 324-61-49, 388-94-38, 327-04-56, 321-66-58, факс: (812) 321-66-60
E-mail: trade@azbooka.spb.ru; atticus@azbooka.spb.ru

В Киеве:
ЧП «Издательство „Махаон-Украина"»
Тел./факс: (044) 490-99-01. E-mail: sale@machaon.kiev.ua

Сайты в интернете: www.azbooka.ru, www.atticus-group.ru

KMIL1413101R